臺中學
2018
The Study of Taichung

願社平和

和平鄉原住民聚落

鄭安晞 著

王志誠 主編

臺中市政府文化局　遠景 VISTA PUBLISHING

願社平和
臺中和平地區原住民聚落

CONTENTS

厚植臺中的在地文化　　林佳龍

　　臺中位於臺灣南北交通的中點，氣候宜人，資源豐富，擁有良好的生活機能，更有優美的城市風景。多年來，我們積極活化市區，為市民打造一個生活的好所在，並且致力發展人文產業，為臺灣建立一座嶄新的文化城。

　　新臺灣國策智庫於 2018 年 5 月公布，臺中市是六都民眾心目中的最佳宜居城市，這是我們連續四次獲此殊榮，也是所有臺中市民努力的成果。除了推動城市建設，我們還要厚植在地文化，才能擁有豐富的精神生活，從「希望的臺中」邁向「進步的臺中」。

　　世界各地的重要城市都有自己的定位與特色，由文化局策畫出版的「臺中學」系列叢書，呈現出臺中市的獨特歷史脈絡和優質人文風貌，在 2016 年和 2017 年都受到文化界和學術界人士的關注與肯定。第一輯的主題包括臺中公園、林獻堂、葫蘆墩圳、清水及珍奶茶飲；第二輯的主題則有臺中火車站、第二市場、中央書局、天外天劇場及膠彩畫家林之助，充實的內容獲得各界的一致好評，引

領讀者們深入認識臺中在地文化。

　　今年出版的「臺中學」第三輯，延續先前的嚴謹製作流程，特別邀請文史學者深入描寫楊肇嘉、八仙山、霧峰、客家聚落大茅埔、后里馬場以及和平區的原住民聚落，林景淵、蘇全正、蔡金鼎、管雅菁、林德俊、陳介英、林慶弧、郭双富、鄭安睎，透過充滿溫度的文字敘述和精采的圖示，帶領讀者穿越時光隧道，探索先人走過的痕跡，進而瞭解這些珍貴的歷史文化，如何造就出臺中現今的多元樣貌。

　　臺中人文薈萃，是名副其實的希望之城，也是富於文化底蘊的城市，建立在共生、共榮、共好的基礎上。讓我們透過閱讀的力量，把希望變成進行式，在追求進步的同時，也要珍惜自身擁有的文化資產，才能培養深厚的文化內涵，然後穩定地邁向新的階段，創造出人本、永續、活力的臺中。臺中的改變，會帶領臺灣的改變；臺中的進步，也會帶來臺灣的進步。

擁有豐富內涵的城市

王志城

　　臺中曾經是臺灣省城的所在地，其重要性不言可喻。臺中市的山、海、屯、城區開發，是一部生動的庶民墾荒史，值得我們深入研究，瞭解這塊土地的身世背景，才能產生情感連結，進而強化自我認同。

　　近年來，臺中市政府積極建構「臺中學」，讓社會大眾從自然、人文、歷史、地理等多方面的角度，廣泛認識這個擁有豐富文化內涵的城市。每一輯「臺中學」叢書皆是由專業的文史工作者執筆，選取能夠彰顯臺中特色的地景、人物和題材，呈現這座城市的不同風貌。透過這套書的內容，我們可以重溫百年來的城市風華，見證古時的純樸生活，檢視現在的繁榮進步，由此鑑往知來，讓臺中人更加珍惜自己擁有的一切。

　　延續第一輯與第二輯的內容規劃，第三輯「臺中學」選取臺中社運家楊肇嘉作為指標人物，由歷史學者蘇全正和林景淵執筆，《劍膽琴心：跨越兩個時代的六然居士楊肇嘉》介紹這位來自清水的仕紳如何投入民族運動、倡導地方自治。霧峰舊名「阿罩霧」，擁有美好的田園景致和優雅的藝文空間，作家林德俊（小熊老師）在《霧繞罩峰：阿罩霧的時光綠廊》詳述自己的老家如何成為引人入勝的文化小城。

　　為了讓「臺中學」的研究擴及大臺中全區域，我們前進后里，探索后里馬

場的建設經過與經營特色，由修平科技大學副教授林慶弧、臺灣文史學者郭双富寫成《奔騰年代：牧馬中樞的后里馬場》。八仙山是中部推廣森林環境教育的重要基地之一，《千面八面：八仙山的百年樣貌》作者蔡金鼎、管雅菁從事社區營造工作多年，書寫臺灣林業經濟發展的興衰，以及當地人士造林、育林的生活轉變，其中蘊含幾代人的共同回憶。

　　逢甲大學陳介英教授擅長經濟社會與文化發展的研究，《茅埔成庄：東勢大茅埔客庄的過去與未來》呈現出客家庄的傳統生活，包括族群的衝突與融合，也讓我們看到大茅埔的蛻變。和平區是臺中市轄域內唯一的直轄市山地原住民區，日治時期屬於臺中州東勢郡蕃地，縣市合併前為臺中縣和平鄉，臺中教育大學鄭安睎老師所寫的《願社平和：和平鄉原住民聚落》帶領我們瞭解泰雅族人在此地的生活樣貌。

　　「臺中學」系列叢書問世之後，屢屢榮獲文化部、國史館的獎勵推薦，2018年更獲得金鼎獎優良出版品推薦，以及讀者們的多方肯定。我們希望透過「臺中學」系列，將臺中在地的各種人文薈萃知識進行交流，共同發掘這個城市的美好故事，並讓它們永續傳承下去。

引言 Foreword

十多年前，因為中央研究院臺灣史研究所所長許雪姬教授執行《臺中縣志》的〈人物志〉計畫，我因為擔任計畫兼任助理而與臺中縣結緣，也幫忙書寫了幾位和平區泰雅族原住民的人物志，幾年後因為書寫博士論文《日治時期蕃地隘勇線的推進與變遷（1895～1920）》的關係，幾乎調查了現今臺中市內的隘勇線，在遼闊的八仙山、白毛山與東卯山區爬上爬下，目的是為了尋找日治時期相關警備遺跡，調查途中更怕在甜柿園中遇到通電的鐵絲網，源於農夫為了防範臺灣獼猴亂採水果。調查隊多次在附近的白毛林道、長興林道、出雲產業道路、穿崠產業道路調查，林道旁的檳榔園或柳杉人造林也許就是泰雅族的舊部落，由於泰雅族的舊部落家屋建築多數為木構物，多年後腐爛殆盡，很難尋找其蹤跡，但很幸運的是找到許多不為人知的隘線以及相關設施，未來若可能的話，可藉由這些警備設施回溯相關舊社遺址位置。

　　本書分為四大部分，第一部分書寫了臺中市境內泰雅族的遷徙、傳統聚落的變遷到現今村里的梗概，以及如何被集團移住到現今位置，日本人是如何探險臺中的泰雅族。第二部分主要書寫臺中境內重要的人物與所發生的重大歷史事件，分別為白冷事件、Slamaw（梨山）事件、遠藤事件與青山事件，並改寫了九位重要的泰雅族人物，第三部分則是書寫隘勇線推進與泰雅族傳統領域退卻之關係，此外也書寫了幾條臺中重要

的日治時期道路，包括：大甲溪道路到中部橫貫公路、昔日蕃地的縱貫道路卑亞南路、出雲山道路。第四部分則以《日據時期原住民行政誌稿》（《理蕃誌稿》）為主，重點挑出臺中泰雅族從 1895 年到 1926 年的大事紀。

2013 年，初次到臺中的中興大學歷史學系擔任專案助理教授，目前則任教於臺中教育大學區域與社會發展學系，因此也落腳在臺中，不同於碩士論文所書寫的布農族，在博士論文書寫期間，則深入泰雅族、賽德克族與太魯閣族的傳統領域，研究隘勇線與這幾個山區原住民族的關係，最後也以此本小書獻給在臺中山區調查中，泰雅族人給我的協助與幫忙。

※ 特別聲明：書中所使用之舊照片與明信片，資料來源係鄭安晞與蕭永盛所收藏之遠藤寫真館發行的《臺灣蕃地寫真帖》以及勝山寫真館，《台灣紹介最新寫真集》。

第一章 Chapter 1

泰雅族在臺中

泰雅族為臺灣原住民中分布較廣的民族之一，有兩大語
群，臺中市的泰雅族大部分屬於澤敖利亞（Tseole）語群，除
了遷移到都市的族人外，
主要分布在和平區，清代
以「北勢蕃」來稱此群族
人，以當時的武榮社為
中心，依照日治時期的
調查，以北屬於北勢群，
以南屬南勢群，但分布
界線不是以大甲溪為界。
北勢群分布在今日的苗
栗泰安與臺中和平境內，

泰雅族傳統服飾。（鄭安晞／攝）

從牛欄坑望大安與大甲溪。蕭永盛老師個人收藏之老照片。（鄭安晞／翻攝）

願社平和：臺中和平地區原住民聚落

南勢部落。（鄭安晞／攝）

以大安溪兩岸為居住地點，南勢群則以大甲西兩岸，一直延續到南投境內，大甲溪上游的則有 Slamaw 群族。目前由於經歷過清代土地、拓墾，日治時期日警的「討伐戰爭」、「隘勇線推進」、「集團移住」、戰後都市化遷移與「九二一地震」的多重影響下，臺中境內泰雅族早已打破傳統生活界線與領域，離散又聚合在新的地方。

泰雅族背負。鄭安晞私人收藏。（鄭安晞／翻攝）

　　從清代文獻記錄泰雅族人最早生活在苗栗大湖、卓蘭與臺中東勢、新社一帶的山區

出雲山遠望東勢。（鄭安晞／攝）

丘陵地帶。南勢群的傳說發源地為賓斯博干（Pinsbugan），
北勢群根據族人的傳說，其祖先發源地為大霸尖山，從這裡開
始向四周擴散；有一部分的傳說則是從大霸尖山出發，採直線
南下移動到大甲溪上游，沿溪向西下降到舊的部落，半途再
析分出南勢群，最後才北上定居，詳細口述歷史可查閱移川
子之藏《臺灣高砂族系統所屬の研究》一書。北勢群也傳說
Babag Wawa 深處 Pinsbugan 山頂有一巨石，某日巨石破裂，
其縫隙生出一男一女，男的名字叫做 Doau Lods，女的名字叫

願社平和：臺中和平地區原住民聚落

做 Yukex Umau，也就是人類祖先，往後子孫漸漸繁衍，開始往四周擴散，成為各族之始[1]。

（一）臺中泰雅族的聚落變遷

　　清代原住民曾經出現或居住在靠近漢人聚落的山區，為了方便管理原住民，於是就在東勢角設置撫墾局，更靠近山區的大茅埔則設置撫墾分局。進入日治時期之後，改為東勢角撫墾署，位置則沿用清代的衙署位置，但當時鄉民則有建議將相關出張所或分局移往郊外。進入日治時期之後，泰雅族部落則有較為清楚的資料，最早北勢群部落記錄為《臺灣總督府公文類纂》中撫墾署的事務性報告，時間大約在 1896 年，由當時署長越智元雄所留下的記錄。南勢群的紀錄則為 1898

泰雅族養蠶。勝山寫真館，《台灣紹介最新寫真集》，1931。（鄭安晞／翻攝）

泰雅族搗小米。勝山寫真館，《台灣紹介最新寫真集》，1931。（鄭安晞／翻攝）

1　馬淵東一、楊南郡譯，《臺灣原住民移動與分布》（新北：原住民族委員會，2014 年），頁 99-103。

東勢角廳蕃童教育所。
遠藤寫真館,《臺灣蕃
地寫真帖》,1912。（鄭
安晞／翻攝）

年的〈森林調查復命書〉中有詳細的人口、戶數與頭目名稱[2]。

　　明治四十四年（1911 年），由臺灣總督府《臺灣蕃社戶
口一覽》中，北勢蕃被新竹廳大湖支廳所管轄，有ブヨン社、
ロープゴー社、スロー社、マナバン社、マビルハ社、テモク
ボバイ社、ロブン社、チイムイ社等八社，位於臺中廳東勢角
支廳所管轄的南勢蕃則只列出稍來社、白毛社、阿冷社等三社
[3]。根據大正三年（1914 年），《臺中廳理蕃史》[4]，所載如下：

　　北勢群，原住民語稱為 Rurion Painohu，即是河邊的意思，

2　臺灣總督府,〈森林調查復命書〉,《臺灣總督府公文類纂》,326 冊,
　　第 14 號,1898 年。
3　臺灣總督府民政部蕃務本署,《臺灣蕃社戶口一覽》(臺北：臺灣總
　　督府民政部蕃務本署,1911 年)頁 12。
4　臺中廳蕃務課,《臺中廳理蕃史》(臺中：臺中廳蕃務課,1914 年),
　　頁 4 ～ 17。

願社平和：臺中和平地區原住民聚落

東勢角廳原住民農業傳習狀況。遠藤寫真館，《臺灣蕃地寫真帖》，1912。（鄭安晞／翻攝）

從稍來望白毛社。遠藤寫真館，《臺灣蕃地寫真帖》，1912。（鄭安晞／翻攝）

自古以來佔居在大安溪上游，名稱即起於此。其境界北與舊新竹廳汶水群以及大湖群為界，南與大尖山與南勢群接鄰，東方固守中央山脈，西至大安溪，部族分為八社，散佈在老屋峨山、雪山坑、眉比浩溪、盡尾山等處，八社中最大的是武榮社與老屋峨社，其中武榮社為八社中勢力最大的，八社則有武榮、老屋峨、蘇魯、馬那邦、眉必浩、得木巫乃、蘆翁、盡尾，總人數將近 2,000 人，壯丁約 700 人，以下為各社之變遷與現狀，如下：

1. 武榮社（ブヨン），現在雪山坑溪上游右岸，原住民稱為 Subaee，溼地的意思，同社以雪山坑流域為佔居地，據說頭目為ユーケ・ローモ（Yuuke Roomo），當時八十多歲的年紀依然鑊鑠，蕃族間都很敬畏他，有操縱八社的勢力，以前的佔據地在老屋峨山一帶，氣候溫順，土壤肥沃，米穀每每裝滿倉廩，是最富庶的蕃社，嘉慶年間住在今日東勢角附近的石角庄與中科坑方面。因漢人入侵，逐漸轉移，移到老屋峨山的背後，接下來從明治四十五年（1912 年）的討伐，舉社遁逃到現地。

2. 老屋峨社（ローブゴー），原住民稱為 Mitoon，高地的意思，在老屋峨山頂形成集團，武榮社外有亞勢力之蕃社，也是明治四十五年（1912 年）討伐的結

東勢角原住民少女織業教育所。遠藤寫真館，《臺灣蕃地寫真帖》，1912。（鄭安晞／翻攝）

果，全社盡失，與武榮社隱匿在雪山坑溪上游右岸，以前居住在大茅埔庄一帶的土地，也同樣從老屋峨山退讓，接著遷到現居地，頭目為ボーナイ・タツパス（Boonai Tatsupasu），在部族中有勢力，光緒末年劉銘傳的北勢蕃討伐之際，標榜自己中立，因為努力調停有功，當時有賜給頭目姓氏並授與官位。

3. 蘇魯社，原住民稱為 Misuruu，八社中最小的蕃社，位在雪山坑右岸眉比浩溪，原住民稱為ガオン・サラピツ（Gaon Sarapitsu）左岸高地，以前居住在大坪林一帶，後來從上移到大安溪的左岸，緊接著轉移

雪山坑駐在所。蕭永盛老師私人收藏照片。（鄭安晞／翻攝）

到現地，從古自今屢屢被討伐，轉來轉去好幾次，部落勢力亦逐漸衰退，頭目稱為ユーケ・ナイワル（Yuuke Naiwaru）。

4. 馬那邦社，原住民稱為 Wagan，佔居在眉比浩溪左岸蘇魯社後方，稱為 Tarawan 的地方，以前佔據大安溪右岸馬那邦山一帶，光緒十年（1884 年）被營官詹阿祝等驅逐，渡過大安溪，遷至出火坪，又遭受卓蘭庄民的襲擊，接著明治三十五年（1902 年）日方的燒毀，經過幾次變遷，還留在現地，據說頭目名字為ブヨン・パーエン（Buyon Paaen）。

5. 眉比浩社，原住民稱為 Hoanan，大安溪左岸眉比浩溪右岸山腹為集團，頭目據說為タークン・カイヌ（Taakun Kainu）。

6. 得木巫乃社，原住民語稱為ターヤフ（Taayahu），棲息在眉比浩社後方的高地，頭目據說為ワタン・チユーワス（Watan Chiwasu）。

7. 蘆簑社，原住民語稱為 Aboron，據說頭目為アベヤ・ハイシヨ（Abeya Baishyo），散佈在盡尾山東南中腹稱為 Shiibui 地方的部落，從蘆簑社越過洗水山，與 Kinahatsukuru 蕃族有交通往來。

8. 盡尾社，原住民語稱 bayanuhu，頭目為ユーパ・シタラウ（Yupa Shitawu），盡尾社由數個部落組成，大安溪上游右岸稱為 Saiya、Hobonta、Bonahen 的諸部落所組成，其北方經盡尾山（6181 尺），通鹿場大山（8856 尺），與同方面的蕃族有交通往來。

南勢蕃佔據大甲溪上游一帶，北以大尖山與北勢蕃為界，南邊從白姑大山經山杉山，至南投廳下中川山，東方最深到 Slamaw，西至揀東上堡與各庄交接，分為稍來、白毛、阿冷等三社，又分成數個部落，在砂連、東卯、白毛、白姑等諸山間的各處形成集團式的部族，南方與眉原群關係很深，北與北勢群聯絡，從古自今頗有勢力，現在一半已經歸順，並移住到

新竹州盡尾社。遠藤寫真館，《臺灣蕃地寫真帖》，1912。（鄭安晞／翻攝）

線內，線外的也大多提出所有的槍枝，依賴政府之保護，只有稍來社一部分，スバエ（Subae）尚未投誠。

1. 稍來社，原住民語稱為 Misaorai，由サオライ（Saorai）、ユーカン・ライワン（Yuukan Raiwan）、スバエ（subae）三個部落所組成，戶數有 38 戶。北到大尖山為界限，南至大甲溪的區域，今日因為隘勇線的擴張，除 Subae 部落，其餘皆被隘勇線包圍，依賴政府保護，即是サオライ（Saorai），集居在大甲溪左岸埋伏坪，接著設立蕃務官吏駐在所啟發之，ユーカン・ライワン（Yuukan Raiwan）社在右岸稍來坪形成部落，スバエ（subae）佔居在

大尖山東方高地（5000尺），與未歸順蕃的北勢群往來，每每有反抗的氣勢，此部落由原來北勢蕃的武榮社分出來，稱為アラン・スバエ（Alang Subae）。

2. 白毛社，據說原住民自稱ミパーシン（Mipaashin），パーシン（Paashin）即是樹名，起因是這地方有 Paashin 樹，漢人依此命名為白毛，以前也曾有白髮白鬍鬚的頭目，原與稍來社同一社，獨立後形成一社，戶數 29 戶，以前從大甲溪上游裡冷溪下到埋伏坪之間都是其領域，明治三十九年（1906 年）全部歸順，

稍來坪。（鄭安睎／攝）

埋伏坪。鄭安睎私人收藏明信片。（鄭安睎／翻攝）

黑田山望稍來坪。（鄭安睎／攝）

移居到隘勇線內，即現今埋伏坪一處，與阿冷社為共
同集團，並聽從政府命令，逐漸有漢化的態勢。

3. 阿冷社，原住民稱ミシエヤ（Mishieya），佔據大甲
溪最上流區域，分為五個部落，以前住在北港溪上游
白狗社附近，後來移到現地，各部落名稱及所在位置
如下：

埋伏坪警戒所。蕭永盛老師私人收藏照片。（鄭安晞／翻攝）

(1) アランハガアン（Alanghagaan）部落，部落舊名
為シユヤンタイモ（Shiyuyantaimo），在大甲溪
上游左岸，距離東勢角約 13 里半（約 53 公里），
有 18 戶 83 人。

(2) アラン・シユゴヘン（Alang Shiyugohen）部落，
ハガアン（Hagaan）部落的西方約 1 里 10 町（約
5 公里），十文坑左岸山腹，有 5 戶，27 人。

(3) アラン・トボラン（Alang Toboran），舊名クラ
スワタン（Kurasuwatan），居住在大甲溪左岸ハ
ガアン（Hagan）部落的下方稱為夯工坪的平原，

有 12 戶，49 人。

(4) アラン・テジユワオ（Alang Tejiyuwao），舊名
イチハブンガイ（Ichihabugai），從東勢角溯大
甲溪 9 里（約 35.3 公里），即是在白冷南方 2 里
的山腹，有 14 戶 59 人。

(5) アラン・ウゴワン（Alang Wugowan），在距東
勢角 5 里的大甲溪左岸埋伏坪，是 38 年與 40 年
被收容於隘勇線內，戶數 85 戶，人口 366 人。

此外，根據大正六年（1917 年）森丑之助所著《臺灣蕃
族志》兩書為主所載，綜整出臺中原住民的舊部落，以下為北
勢群的部落。

1. ロブン（Robun）社，以前漢譯為魯翁社，原住民稱
為アロバン（Aroban）社，原住民語 Arobon 溪兩岸，
有架籐蔓網架，因為要抓此網架過溪，故稱之。位
置於在大安溪右岸盡尾山的東南中腹，海拔約 3600
尺，成散居的部落型態，從東勢角東北方約 8 里多
（約 31.4 公里），頭目為アベヤ・パイシヨ（Abeya
Paishiyo），由 20 戶集團所組成。

2. チンムイ（Chinmui）社，以前漢譯為盡尾社，大
概是以這區域最後的深山部落為名，原住民語稱為

森丑之助。《台灣山岳》
會刊。（鄭安晞／翻攝）

願社平和：臺中和平地區原住民聚落

Bayanuhu，據說為平坦的意思。位置在大安溪上游右岸盡尾山的中腹，海拔約 2700 尺的散在部落，從東勢角東北約 10 里 15 町（約 40.9 公里）。頭目為ユーパシ・タラウ（Yuupashi Tarwu），由 36 戶集團形成。

3. テモクボナイ（Temokubonai）社，漢名譯為得木巫乃社，原住民稱為 Taiyahu 社，社名來自於地形。位置位於大安溪右岸マピルハ（Mapiruha）社的東方山腹，海拔約 3,300 尺（約 1,000 公尺），形成集團式部落，距離東勢角東北方 7 里 20 町（約 29.7 公里），頭目為ワタン・チワス（Watan Chiwasu）、ハーエン・モワラ（Haaen　Mowara），組成 39 戶的集團。

4. マビルハ（Mabiruha），漢名稱為眉必浩社，原住民語稱為 Boana 社，位置位於大安溪上游眉必浩溪右岸中腹，海拔約 3,800 尺（約 1,151 公尺），從東勢角東北 7 里 30 町（約 30.8 公里），頭目タツクン・カイヌ（Tatsukun Kainu）、ペハウ・ラーフ（Pehau Raahu），形成 21 戶集團。

5. マナパン（Manapan）社，漢名稱為馬那邦社，原住民稱為 Waagang，位置於大安溪上游眉比浩溪左岸ス

ロー（Suroo）社北方タラワン（Tarawan），海拔 3,800 尺（約 1,151 公尺），形成集團部落，距離東勢角 6 里半（約 25.5 公里），頭目ブヨン・バーエン（Buyon Baaen）、トモン・バリヤ（Tomon Bariya）形成 32 戶集團。

6. スロー（Suroo）社，漢名為蘇魯社，原住民語稱 Suruo 或 Suro 的發音，為後面或背面之意義。位置位於大安溪支流雪山坑右岸高地，海拔約 3,000 尺（約 909 公尺）形成部落集團，距離東勢角東北 6 里 15 町（約 25.2 公里），頭目為ユーケ・ナイワル（Yuuke Naiwaru）與ボーヒル・オビン（Boohiru Obin），形成 18 戶集團。

1940-1950 年代雪山坑的族人家屋。勝山寫真館，《台灣紹介最新寫真集》。（鄭安晞／翻攝）

7. ロオブゴー（Roobugoo）社，漢名為老屋峩社，原住民語稱為 Mitoong 社，位於大安溪支流雪山坑溪左岸山腹，散佈在海拔約 2,500 尺（約 757.5 公尺）的緩坡地上，距離東勢角東北方最近距離 2 里 10 町（約 8.9 公里），最遠 6 里（23.6 公里）。頭目為ボーナイ・タツパス（Boonai Tatsupasu）與パーエン・ナウエ（Paaen Nawue），形成 56 戶的集團。

8. ブヨン（Buyon）社，漢名稱為武榮，原住民稱為 Sabae，Buyon 為以前頭目的名字，漢人用它來稱為社名，位置位於大安溪支流雪山坑溪上游右岸高地，形成不規則的集團部落，距離東勢角 2 里（約 7.9 公里），最遠 3 里 10 町（約 12.9 公里），頭目ユーケ・ロモ（Yuuke Romo）、カケ・バーイ（Kake Baai）組成 57 戶集團。

南勢群則有七個部落，其中一個被南投所管轄，因此沒有羅列。

1. サバエ（Sabae）社，社名依照原住民稱呼之，位置位於大尖山東方約 1 里的山腹，海拔約 4,700 尺（約 1,424 公尺），形成部落集團，距離東勢角東方 7 里（約 27.5 公里），約 20 年前，從北勢群武榮社一部分移出，加盟進入サオライ（Saorai）部族，頭目バアイ・

ナオエ（Baai Naoe）、ハイエン・バアイ（Haien Baai）形成 12 戶。

2. シラック（Shirakku）社，意思為溼地的意義，位於大甲溪上游左岸，從左岸散佈到十門溪右岸之間，海拔約 2,800 尺（約 848.4 公尺），距離東勢角東方 9 里（約 35.3 公里），昔日為阿冷社之一部分，頭目有シブイ・バウイ（Shibui Nawui）、マライ・ハワン（Marai Hawan）、シユヤン・タイモ（Shiyuyan Taimo）、クラス・ワタン（Kurasu Watan）、ヤホ・セツト（Yahoo Setsuto）的五大部族的ピジン（Pijin）形成 35 戶。

3. サウライ（Sawurai）社，漢名稍來社，原住民稱為 Sauwurai，溫泉的意思，此社起因於祖先的原居地。位於大甲溪右岸與白毛社相對，海拔約 1,700 尺（約 515.1 公尺），在キウレク（Kiwureku）形成集團部落，距離東勢角東方 4 里（約 15.7 公尺），頭目有ブヨン・ピロ（Buyon Piro）、ユーカン・バット（Yuukan Batsuto）、ブタ・ノミン（Buta Nomin）、シロツト・ワウシユ（Shirotsuto Waushiyu）4 族ピジン（Pijin）20 戶組成。

4. 阿冷社，漢名稱為阿冷社，原住民稱為 Guowan，

稍來坪警戒所。蕭永盛老師私人收藏照片。（鄭安晞／翻攝）

據說此小群原住民稱為アラン・クシヤ（Aaran Kushiya）而來。位於大甲溪左岸土名埋伏坪，與白毛社相鄰接，海拔 1,800 尺（約 545.4 公尺），形成部落集團，距離東勢角東南 4 里 18 町（約 17.8 公里），頭目ワサオ・パワン（Wasao Pawan）、イチ・ノミン（Ichi Nomin）2 族 30 戶組成集團。

5. 白毛社，據說原住民稱為パアシン（Paashin），意思為杉木之意，漢名以白毛為名，與阿冷社同處於土名為埋伏坪的地方，形成集團部落，此社與阿冷社都是依循以前官廳的勸誘，移住到此處。頭目ブータ・バイホ（Buuta Paiho）、ユーミン・ブユン（Yumin

クラス男子與白毛女子。勝山寫真館，《台灣紹介最新寫真集》，1931。（鄭安晞／翻攝）

通過白毛橋。蕭永盛老師私人收藏照片。（鄭安睎／翻攝）

Buyun）、バツケ・シユツ（Botsuke Shiyutsu）、
シユヤン・ナアバ（Shiyuyan Naaba），4 族ピジン
（Pijin）26 戶所組成。

6. テジユワオ（Tejiyuwao）社，阿冷社之一部分，據
說一名バボー（Baboo），位於大甲溪右岸一氣山的
東北方山腹，海拔 5,200 尺（約 1575.6 公尺），形成
集團部落，距離東勢角 9 里 20 町（約 37.5 公里），
頭目イチ・ブガイ（Ichi Bugai），由 17 戶所組成。

此外尚有一個社位於南投縣轄內的南阿冷社，此社名由

日本人所命名，位置位於北港溪支流裡冷溪與五柵溪的上游，海拔約 3200 尺（約 969.6 公尺），分散在ウライ（Wurai）、カウヤウ（Kawuyawu）兩部落，距離埔里社北方 6 里（約 23.6 公里），頭目為ピヨ・パワン（Piyu Pawan）、ユーミン・セツ（Yuumin Setsu）、タイモ・ワタン（Taimo Watan）三族 26 戶所組成 [5]。

（二）集團移住

大正三年（1914 年），日本總督府大討伐蕃社之後，原住民則居住在要害險阻的蕃界，那是偏遠深奧的地帶，如果要進行撫育事業，可把他們集中於警備線附近的時候，管理與指導較容易，也可從中看到教撫之成果。於是在各個不同時期的「理蕃政策」下，臺灣各地有不少原住民被集團移住。大正八年（1919 年）臺灣總督府開始在蕃地試辦集團移住。昭和六年（1931 年）臺灣總督府的理蕃事業進入第四期「新理蕃政策時期」，伴隨著「新理蕃政策大綱」的實行，由官方主導的「集團移住」政策，更加速進行。

5　森丑之助，《台灣蕃族志》（臺北：南天書局，1996 年），頁 73，復刻版。

表 1 泰雅族北勢群集團移住表

州廳	郡	移住地	移住社名	戶數	人口	移住開始日期	移住完成日期
臺中	東勢	南勢	白毛	60	145	明治 39 年	明治 40 年
			阿冷		59		
			稍來社		69		
			一ケ谷社		39		
臺中	東勢	久良栖	テボーラン	7	17	明治 45 年 1 月	明治 45 年 3 月
			ハガバリシ	17	52		
新竹	大湖	司令	マナバン	29	98	大正 11 年 10 月 15 日	大正 12 年 4 月
			スルー	21	95	大正 11 年 10 月 25 日	
臺中	東勢	雪山坑	雪山坑武榮社	24	105	昭和 4 年 1 月 17 日	昭和 4 年 3 月 29 日
臺中	東勢	青嵐溪附近	ルブン	14	57	昭和 7 年 11 月 16 日	昭和 8 年 3 月 31 日
		梅園附近	ルブン	12	52		
		梅園對岸	チンムイ	9	57		
		梅園對岸	テモクボナイ	10	50		
		梅園對岸	ムケラカ	6	42		
		溪底附近	テモクボナイ	10	47		
		マビルハ溪流域	マビルハ	6	24		

願社平和：臺中和平地區原住民聚落

州廳	郡	移住地	移住社名	戶數	人口	移住開始日期	移住完成日期
新竹	大湖	タビラス	ムケラカ	20	104	昭和 11 年 12 月 20 日	昭和 12 年 3 月 31 日

資料來源：臺灣總督府，《高砂族授產年報》（1942 年）。

大正十二年（1923 年）9 月 1 日，臺中州東勢郡北勢原住民建造集體住宅，由州警務部長主持落成典禮，此集體住宅是由政府補助建成，將來絕不可散居，相關資訊如下：

表 2　北勢群集團移住住宅表

興建地點	開工日期完工日期	社名及人口數	備考
埋伏坪警戒所前約二町道路兩側	三月開工八月完工	武榮社 52 戶 221 人稍來社 22 戶 95 人合計 74 戶 316 人	31 棟（每棟 12 坪，容納 1 戶至 5 戶）設有公共浴室與公共廁所
羅布溝駐在所東北方一町處	同上	羅布溝 44 戶 199 人	25 棟（同上）同上

資料來源：吳萬煌，《日據時期原住民行政志稿》（第四卷），頁 455～456。

臺中州東勢郡也勸南勢原住民設置公墓，久良栖阿冷社在同年 9 月 15 日決議在久良栖警戒所東北方選地設置，裡冷社剛好有人過世，便以裡冷警戒所東邊山腳選定公共墓地埋葬。

裡冷部落。（鄭安晞／攝）

裡冷警察官吏駐在所。蕭永盛老師私人收藏照片。（鄭安晞／翻攝）

　　　　　　　　　　　　願社平和：臺中和平地區原住民聚落

此外，武榮社羅布溝社與埋伏坪原住民興建集體住宅時，官方也勸戒廢除室內葬風俗，以公共墓地代替，11 月 2 日在中田郡手下的見證下設置公墓，羅布溝選在駐在所東方羅布溝溪左岸，武榮社及稍來社，選在埋伏警戒所南方大甲溪左岸上方，次日在羅布溝頭目主持下，殺豬祭祖[6]。此外官方也設置水田，並在大正十四年（1925 年）於久良栖設立養蠶指導所[7]。

泰雅族編織

泰雅族織布工法可分為幾個部分：一、材質選用：早期以野生或自栽之苧麻為材料，後因與漢人、荷蘭人、日人交易，而有棉、毛等色線。二、編織工具：水平背帶機（又稱腰式水平織機）是一種有背帶置於織者背部，以拉直經線的移動式水平織布機，其分件工具共包括有經捲、綜絖棒、繫經棒、隔棒、刀狀打棒、布夾等。三、製作過程：包括麻線處理、紡線、煮線、整經、織布。1. 麻線處理：去葉→剝麻→剮麻→沖洗→晒乾。2. 紡線：績麻（將短麻纖維績在一起）→紡線（用紡垂將床線變得更堅固、光滑）。3. 煮線：將麻線放置於盛有冷水和火灰之鐵鍋內，煮燃二小時，以去麻之污垢、雜質、使其變白（如需染線，可將白麻線加薯榔汁液、灰汁、搗爛樹薯球根加火即染成茶褐色、黑色、赭色）。4. 整經：把不相干之線條整理成長度相等且互相關連之線組，並使用整經架，將經線依序排好。5. 織布：上架（將整經架之經線移到織機上）→纏梭（將緯線纏繞到梭子）。四、編織技法：1. 平織、2. 斜紋織、3. 夾織：以白色麻線為經線，用不同色線夾織成三角形、菱形紋、方格紋、Z 形紋、幾何形紋等[8]。

6　吳萬煌譯，《日據時期原住民行政志稿》（第四卷）（南投：臺灣省文獻委員會，1999），頁 455-456。
7　吳萬煌譯，《日據時期原住民行政志稿》（第四卷），頁 684。
8　http://web.chinganes.mlc.edu.tw/tayalbenz.htm，2009/02/24。

（三）日人探險活動

　　日治以來，日人為了管理原住民以及利用山上資源，來臺的隔年（1896 年）就開始進入臺灣山區探險，其中大部分是官方有計劃性的探險活動，個人部分以森丑之助的探險次數最多，森氏被稱為是「蕃通」，他的足跡幾乎踏遍全臺的原住民區域，可惜在 1926 年於返國途中，消失在中日交通的輪船上，據說是跳海自殺，令人非常惋惜，許多資料最後也佚失了，留下千古謎題。根據他所留下的歷史文獻看來，有些可能是個人的探險紀錄，也有不少是工作上需要或者配合官方的討伐與探險調查活動，實在難以細分，森丑之助最早的探險紀錄是於明治三十三年（1900 年），他調查了北勢群與南勢群，其探險與踏查區域如下：

1. 明治三十三年（1900 年）5 月，森丑之助從東勢角探險北勢八社與南勢各社。這方面的深山蕃地，是為日本人進入此地之嚆矢。同年 6 月從阿冷社踏查バイバラ（Baibara）蕃，此地也是日本人足跡未到之處。

2. 明治三十四年（1901 年）1 月，森丑之助踏查大湖、汶水兩蕃地，2 月去大安溪上游巡迴北勢蕃社，6、7 月踏查埔里社、濁水溪流域各蕃社。

3. 明治三十九年（1906 年）5 月，森丑之助經加禮山、

五指山到カラバイ（Karabai）蕃地，6 月從臺北橫斷屈尺，出到叭哩沙。8、9 月進入大湖蕃，接著經南勢蕃地，踏查バイバラ（Baibara）蕃、霧社、萬大社。

4. 大正四年（1915 年），森丑之助調查太魯閣蕃與サラマオ（Saramao）蕃[9]。

明治三十七年（1904 年）6 月 10 日，臺中東勢角支廳長井野邊幸如率領部下，經白毛社隘勇監督所，探險阿冷社中的伊之蚋阿民社，此社距離東勢角支廳南方 9 里（約 35.3 公里）多，在阿冷社最北端，海拔約 1,310 公尺，乃因要將白毛社隘勇線前進，移至此地[10]。

明治四十年（1907年）8 月 12 日，中部臺中廳管內東勢角支廳長本鄉宇一郎，因巡視管內所轄隘勇線，在白冷監督所踏查蕃界溫泉湧出之處，一行人有本鄉宇一郎警部、原豬治警部補、關、重久之兩巡查、嚮導蕃人 10

白冷警察官吏駐在所。蕭永盛老師私人收藏照片。（鄭安晞／翻攝）

9　森丑之助，《臺灣蕃族志》，頁 8 ～ 10。
10　臺灣日日新報社，〈探險阿冷番社〉，《臺灣日日新報》（漢文版），1904 年 7 月 9 日 3 版。

谷關一景。（鄭安晞／攝）

名，該日早上8點從監督所出發，沿著大甲溪左岸約行3里（約
11.8公里），至十文坑與大甲溪合流點，因雨結寮住宿於此，
翌日約行1里（約3.9公里），抵達溫泉口，一行人為之命名
為明治溫泉[11]，也就是今臺中谷關溫泉名稱之由來。

　　大正四年（1915年）6月，臺灣總督府探險大霸尖山附近

11　臺灣日日新報社，〈探險蕃界溫泉〉，《臺灣日日新報》（漢文版），
　　1907年8月28日3版。

願社平和：臺中和平地區原住民聚落

地勢，由警察本署財津久平技手一行，與ガオガン（Gaogan）
支廳長丸田市之助、中村警部、警部補 1 名、巡查 10 名、隘
勇 10 名，共 24 名，又派蕃人 60 名嚮導護衛，期間預計 1 個
月 [12]。財津久平技師技手一群人從大霸尖山東面向シルビヤ山
（絲爾默，今雪山）附近踏查支脈，另一方面齋藤技手調查
シルビヤ（Shirubiya）山（絲爾默）山的另一面 [13]。在此同時
也派出了大雪山探險隊 [14]，6 日警察本署齋藤武彥技師，與臺
中廳東勢角支廳長隈元多市郎警部一行 20 人，踏查臺中廳大
雪山的地勢，由該支廳烏石坑第十分遣所出發，溯烏石坑溪
至該溪合流點，
上登稜線，當晚
住於大雪山溪下
的 鞍 部（5,300
尺， 約 1,590 公
尺），7 日抵達雪
山坑溪流源頭露

雪山北稜角。鄭安晞私人收藏照片。（鄭安晞／翻攝）

12　臺灣日日新報社，〈大霸尖山探險〉，《臺灣日日新報》，1915 年
　　6 月 3 日 2 版。
13　臺灣日日新報社，〈蕃山探險之進境〉，《臺灣日日新報》（漢文
　　版），1915 年 7 月 4 日 6 版。
14　臺灣日日新報社，〈大雪山の探險 大霸尖山も同時に〉，《臺灣日
　　日新報》，1915 年 6 月 3 日 2 版。

東勢烏石坑頭目夫婦。勝山寫真館，《台灣紹介最新寫真集》，1931。（鄭安晞／翻攝）

宿（8,000 尺，約 2,400 公尺），8 日抵達 11,900 尺（約 3,570 公尺）露營。10 日到小雪山方面測量繪

東勢烏石坑斥候。勝山寫真館，《台灣紹介最新寫真集》，1931。（鄭安晞／翻攝）

圖。11 日向大雪山出發 [15]，23 日回來，共計停留 19 日，測量了大安溪、大甲溪左右岸大雪山之稜線 [16]。25 日，齋藤技師又由臺中趕赴新竹廳下北埔支廳，登鹿場大山測量 [17]。

15　臺灣日日新報社，〈大雪山探險 步々成功〉，《臺灣日日新報》（漢文版），1915 年 6 月 14 日 3 版。
16　臺灣日日新報社，〈大雪山探險 隈元支廳長談〉，《臺灣日日新報》，1915 年 7 月 5 日 2 版。
17　臺灣日日新報社，〈蕃山探險之進境〉，《臺灣日日新報》（漢文版），1915 年 7 月 4 日 6 版。

大正五年（1916 年）5 月，日本陸軍陸地測量部欲設立
三角測量於白狗大山絕頂，測量部派遣臼井田清外 7 名，配合
東勢角支廳大野勝衛警部一行 11 人探險隊從東勢角登山，29
日上午 6 點半由久良栖監督所出發，到十門溪支流已耶灣上游
紮營，30 日抵達馬家奧也鞍部，因為降雨滯留到隔月 2 日。3
日中午 12 點半抵達白狗大山，紮營於 10,800 尺山頂。4 日下
雨，5 日開工蒐集三角標材料，並於南方 200 公尺發現水池，
可供飲用。11 日三角標完全豎立，觀察四面景觀。12 日返途，
13 日抵達久良栖監督所，14 日返抵東勢角 [18]。

　　大正五年（1916 年）8 月，總督府理蕃課一行，深入大
雪山方面調查森林，由營林局以下 8 名，即東勢角支廳從坂入
莊四郎警部補以下，計有巡查 13 名、隘勇 5 名、蕃人 10 人參
加，2 日從東勢角出發，分成 2 次來調查 [19]。

　　值得一說是明治四十年（1907 年）的山區探險，發現
了明治溫泉（今谷關溫泉）。整個臺中蕃地測量集中在明治
四十一年至大正五年（1908 ～ 1916 年），而後來的大雪山森
林調查，也影響了戰後的森林砍伐。

18　臺灣日日新報社，〈白狗山探險　一萬八百尺　絕巔を極む〉，《臺
　　灣日日新報》，1916 年 6 月 16 日 7 版；臺灣日日新報社，〈白狗
　　大山探險〉，《臺灣日日新報》（漢文版），1916 年 7 月 3 日 3 版。
19　臺灣日日新報社，〈大雪山探險談〉，《臺灣日日新報》（漢文版），
　　1916 年 9 月 23 日 5 版。

表 3 臺中地區歷年探險一覽表

編號	時間	探險者	地點	關係亞群 / 族群	目的
1	1900 年 5 月	森丑之助	苗栗、臺中	北勢八社、南勢蕃	蕃情
2	1900 年 6 月	森丑之助	臺中、南投	阿冷、バイバラ蕃	蕃情
3	1901 年 2 月	森丑之助	苗栗、臺中	北勢蕃	蕃情
4	1904 年 6 月 10 日	東勢角支廳井野邊	阿冷社中伊之蚋阿民社	南勢蕃	蕃情
5	1906 年 8 月～9 月	森丑之助	苗栗、臺中、南投	大湖、南勢、バイバラ蕃、霧社、萬大社	蕃情
6	1907 年 8 月 12 日	東勢角支廳長	踏查明治溫泉	南勢蕃	地質
7	1910 年 8 月	森丑之助	北港溪上游的ハック、マレッバ、サラマオ蕃地	ハック蕃、マレッバ蕃、サラマオ蕃	蕃情
8	1911 年 2 月	森丑之助	北勢蕃與大湖蕃	北勢蕃、大湖蕃	蕃情
9	1915 年	森丑之助	調查太魯閣蕃與サラマオ蕃	太魯閣蕃、サラマオ蕃	蕃情

願社平和：臺中和平地區原住民聚落

編號	時間	探險者	地點	關係亞群/族群	目的
10	1915年6月	東勢角支廳長一行人	大雪山、小雪山		地形觀察、地圖測繪
11	1916年5月29日～6月14日	陸軍陸地測量部、東勢角支廳	白狗大山		地形觀察、地圖測繪
12	1916年8月	總督府理蕃課	大雪山		森林

資料來源：筆者整理

（四）戰後聚落

1. 雙崎

　　雙崎位於大安溪南岸，觀音坑溪匯流點的東側階面上，地勢平坦，泰雅語稱為 Maihu，舊稱埋伏坪，清代文獻中稱為埋伏坪或埋鶴坪，日治時期稱為埋伏坪，埋伏坪有兩處，一處位於大甲溪，另一處在大安溪。明治三十四年（1901年）與老

雙崎部落。（鄭安晞／攝）

屋峨社聯合伏擊日軍於摩天嶺，明治四十四年（1911 年），
因南勢群遭官方沒收槍枝，誤解而引起反抗，大正二年（1913
年），因為缺糧而歸順。大正九年（1920 年），因流行性感
冒關係，避難至烏石坑溪、雪山坑溪與橫流溪上游。大正十
年（1921 年）12 月 13 日，武榮社經日治政府勸誘，移住到
此地有 74 戶，人口 325 人。昭和五年（1930 年），合併原武
榮社以及東卯山一帶北遷的稍來社社眾，改名為埋伏坪社，
目前族人多以種植甜柿為生 [20]。

雙崎部落一景。（鄭安
晞／攝）

20　施添福總編纂，《臺灣地名辭書》（卷十二‧臺中縣）（一），南投：
　　臺灣文獻館，2006 年，頁 431 ～ 432。林聖容，《從番界政策看臺
　　中東勢的拓墾與族群互動》，臺北：國立臺灣大學歷史學系，2008
　　年，碩士論文未刊行，頁 349。

願社平和：臺中和平地區原住民聚落

2. 烏石坑

　　烏石坑溪是大安溪東岸的一條支流，早期《臺灣堡圖》中已出現烏石坑此溪谷名，北勢群隘勇線推進時，有烏石坑與烏石坑口兩處隘勇監督分遣所，戰後 1960 年代在烏石坑溪下游東北岸，形成 300 人左右的小聚落，聚落中有一烏寶宮，奉祀天上聖母[21]。

烏石坑入口。（鄭安晞／攝）

3. 達觀

　　達觀音譯自日文タツカン（Tatsukan），位於大安溪南岸支流タツカン（Tatsukan）溪兩岸扇狀傾斜地，地名意思不明，

21　施添福總編纂，《臺灣地名辭書》（卷十二‧臺中縣）（一），頁432。

達觀部落。（鄭安晞／攝）

但來源是隘勇線推進時期所設的隘勇監督分遣所，原住民從漢人學習如何水田稻作，並引水開鑿成水田，大正十二年（1923年），接受經費補助，更開鑿成水田 7 甲 [22]。

4. 竹林

竹林位於竹林溪與大安溪匯流點的北側平原上，南距烏石坑約 1 公里，竹林原名為老屋峨，族人原來散居於大安溪

22　施添福總編纂，《臺灣地名辭書》（卷十二・臺中縣）（一），頁434。

南側的牛欄坑、尾條溪與北側的白布縫一帶。經明治三十五年（1902年）的日本討伐而避居烏石坑溪上游，大正元年（1912年）因包圍松永交換所而受到討伐。大正元年（1912年）與象鼻一帶部落組織抗日隊，受到日本追擊，退到雪山坑溪上游タラマン（Taraman），後因糧食缺乏又移到カガオ

ン（Kagaon） 溪一帶，大正九年（1920年）， 由於流行性感冒，以及受到麻必浩、武榮社的反抗，副頭

牛欄坑警戒所。蕭永盛老師私人收藏照片。（鄭安晞／翻攝）

從牛欄坑望左前方隘勇線鐵絲網作業中。蕭永盛老師私人收藏照片。（鄭安晞／翻攝）

望向象鼻。蕭永盛老師私人收藏照片。（鄭安晞／翻攝）

目分派 13 戶散居於雪山坑溪上游，同年底歸順，遷移至カガ
オン（kagaon）溪。直到昭和四年（1929 年）才移入現住地[23]。
1960 年前後，來自東勢的客家人以各種方式進入此處，變成
了上竹林，並設立三清壇，奉祀三山國王，也有平安地藏堂等
漢人神壇與廟宇[24]。

5. 香川

　　香川位於大安溪東岸一處小緩坡上，南距離竹林約 1.3 公
里，部落有 5 戶，並有一個天主堂[25]。

23　林聖容，《從番界政策看臺中東勢的拓墾與族群互動》，碩士論文
　　未刊行，頁 349～350。
24　施添福總編纂，《臺灣地名辭書》（卷十二‧臺中縣）（一），頁
　　433～434。
25　施添福總編纂，《臺灣地名辭書》（卷十二‧臺中縣）（一），頁
　　434。

6. 雪山坑

　　雪山坑又名桃山部落，位於雪山坑溪與大安溪匯流處的北側河階地，居民來自埋伏坪武榮社與稍來社，散居在中料溪上游，因反抗官憲，移至雪山坑溪上游。大正十一年（1922年）歸順，收容於埋伏坪。大正十三年（1924年），因為不願接受日本管制與壓迫，21戶57人，避居於雪山坑溪上游，稱為雪山坑武榮社。昭和四年（1929年），因水田獎勵政策，又遷回到雪山坑現址，目前以種植甜柿、桶柑、水蜜桃為大宗[26]。

7. 三叉坑

　　原居住在南勢稍來社，日治時期移到雙崎，民國三十五年（1946年），誤認為耶穌教會與妖術有關，會傷害他人，另搬遷至三叉坑[27]。部落位於東崎路（中47線鄉道）東側中料溪與牛欄坑溪匯流口處，海拔高約500公尺，從東崎路進入自由村境內的第一個據點，部落被客家人稱為「三叉坑」[28]。

8. 中坑

　　中坑位於大雪山林道5公里處，與東勢的中坑坪僅一溪

26　施添福總編纂，《臺灣地名辭書》（卷十二·臺中縣）（一），頁434。林聖容，〈從番界政策看臺中東勢的拓墾與族群互動〉，碩士論文未刊行，頁350。

27　林聖容，〈從番界政策看臺中東勢的拓墾與族群互動〉，碩士論文未刊行，頁349。

28　施添福總編纂，《臺灣地名辭書》（卷十二·臺中縣）（一），頁431。

三叉坑聚落。（鄭安睎／攝）

三叉坑入口。（鄭安睎
／攝）

　　　　　　　　　　　　願社平和：臺中和平地區原住民聚落

之隔，日治時期是從石角進入原住民領域的重要要衝，日治時期在附近設有隘勇線，並設有中坑坪隘勇監督分遣所，後改為警察官吏駐在所[29]。

9. 白毛

白毛位於大甲溪南岸的階地上，該地又有「白毛臺」之稱，日治時期因隘勇線推進關係，壓迫到白毛社與阿冷社原住民，明治三十九年（1906年）11月，向日本提出全社43戶、177人移住到線內，大正十一年（1922年），因客家人進入白毛社附近設置農場開墾，被集體遷至南勢里，昔日設有白毛台隘勇監督分遣所，後改為警察官吏駐在所，也設有蕃童教育所，目前以種植葡萄著名，而有大部分土地仍屬於原住民的保留地，並未劃歸普通行政區[30]。

10. 和平

和平原名為「稍來坪」，是大甲溪北岸的一狹長河階地，乃「稍來社」移住此地後出現的地名。稍來社原散居於東卯山的西北方、東卯溪西岸的山麓地帶，後因耕地不足，遷徙至「ミサラ」（Misara）。明治三十五年（1902年）與三十六（1903年）年，因遭受討伐而退居深山。明治三十九年（1906年）

29　施添福總編纂，《臺灣地名辭書》（卷十二・臺中縣）（一），頁435。
30　施添福總編纂，《臺灣地名辭書》（卷十二・臺中縣）（一），頁415～417。

和平區公所。（鄭安晞／攝）

願社平和：臺中和平地區原住民聚落

10 月 10 日，再因官廳統治的需要，移住現址，移住之初計有 6 戶 23 人，大正九年因響應北勢群的抗日活動，而避居於沙連山以北的山中，同年 8 月歸順。昭和五年（1930 年）和白毛、阿冷兩社，合併為「ナンセイ（Nansei）社」（南勢社），此外，稍來社的一部份徙居至埋伏坪社。戰後，和平鄉公所從松鶴遷至此處，許多行政機關都位於此[31]。

11. 南勢

南勢地名有二義：其一，指聚落名。位置在和平東側約 1.5 公里處，是大甲溪北岸的平坦河階地。清末時，白毛社原居住於白毛溪上游的白毛山附近，明治三十五年（1902 年）與三十六年（1903 年）遭受討伐。明治三十八年（1905 年），隘勇線推至白毛山，次年移住到黑田山西北山麓。大正九年（1920 年）與武榮社一起攻擊稍來駐在所後，舉社遁逃，一個月後歸順，部分移到埋伏坪，大正十五年（1926 年），因流行性感冒與灌溉用水不足。昭和二年（1927 年）11 月 25 日，始因日人政策的考量移住至此，包含原白毛社 22 戶 89 人及原白毛阿冷社 11 戶 36 人。昭和五年（1930 年），白毛、阿冷兩社和稍來社合併為「ナンセイ（Nansei）社」。本地住民來自「白毛」和「白毛阿冷」兩社，故日治時代的南勢又有「新

31　施添福總編纂，《臺灣地名辭書》（卷十二・臺中縣）（一），頁 436～437。林聖容，《從番界政策看臺中東勢的拓墾與族群互動》，碩士論文未刊行，頁 354。

「白毛」之稱 [32]，日治時期設置「南勢警察官吏駐在所」。

12. 白冷

　　位於東卯溪匯入大甲溪處之西岸，接近天輪村的幾何中心位置，是該村居住人口最稠密的地方。白冷地名起源和聚落形成時間不詳，但根據明治末年編製的蕃地圖〈東勢角〉圖幅中所示，至遲於此時便已有人跡。不過，當時標記的白冷位置與今日略有不同，而是在東卯溪匯入大甲溪之上游南岸，居民以種植果物維生，戰後天輪發電廠完工，臺電公司在天輪巷設置員工宿舍，一時人煙鼎盛 [33]。

白冷聚落。（鄭安睎／攝）

32　施添福總編纂，《臺灣地名辭書》（卷十二・臺中縣）（一），頁436～437。林聖容，《從番地政策看臺中東勢的拓墾與族群互動》，碩士論文未刊行，頁354。

33　施添福總編纂，《臺灣地名辭書》（卷十二・臺中縣）（一），頁438。

願社平和：臺中和平地區原住民聚落

白冷原住民。遠藤寫真館，《臺灣蕃地寫真帖》，1912。（鄭安晞／翻攝）

日治白冷駐在所舊址。（鄭安晞／攝）

白冷吊橋。（鄭安晞／攝）

願社平和：臺中和平地區原住民聚落

13. 白鹿

位於大甲溪南岸，白冷西南方約2公里處。日治時代修築的八仙山林業鐵道，在此設有一「白鹿」（ハクシカ，Hakushika）站，是途經「麻竹坑」站後，進入當時蕃地的第一站[34]。

14. 裡冷

裡冷位於大甲溪南岸，大甲溪與裡冷溪匯流處的西側，是一典型的扇階地形。該地住民原居於マカナジー（Makanaji，位於今南投縣仁愛鄉內）；明治三十九年（1906年）遷至一氣山的バホー（Bahou）；明治四十四年（1911年）11月，隨著大甲溪方面隘勇線的推

山林場八仙山分場。鄭安晞私人收藏照片。（鄭安晞／翻攝）

八仙山林業鐵道。鄭安晞私人收藏照片。（鄭安晞／翻攝）

---

34 施添福總編纂，《臺灣地名辭書》（卷十二・臺中縣）（一），頁439。

白鹿橋。（鄭安晞／攝）

進，日警在今部落所在地設置裡冷隘勇監督分遣所，1918 年
改為裡冷警察官吏駐在所，後因為山區情勢不穩定，1921 年
再度改為「裡冷溪警戒所」，昭和年間又改為警察官吏駐在
所；大正五年（1916 年）10 月 10 日，官廳更將社眾移住至
分遣所附近而成「リレイ（Rirei）社」或「リラン（Riran）
社」，為今日裡冷的前身。現該地居民稱裡冷部落為「Qalang
Lilang」，其義不詳 [35]。

35　施添福總編纂，《臺灣地名辭書》（卷十二‧臺中縣）（一），頁
　　439～440。

　　　　　　　　　　　願社平和：臺中和平地區原住民聚落

裡冷橋。（鄭安晞／攝）

裡冷部落。（鄭安晞／
攝）

15. 松鶴（久良栖、クラス、Kurasu）

松鶴位於大甲溪南岸的扇型階地上，由クラス（Kurasu）溪（今松鶴一溪）、リトク溪（Litoku，今松鶴二溪）兩溪沖積並

松鶴部落。（鄭安晞／攝）

經地盤隆升而成。松鶴舊名「久良栖」（クラス，Kurasu），原為阿冷社分布地。大正元年（1912 年）春，原テンボーラン社（Tenboran）7 戶及 35 人、シラック社（Shirakku）17 戶52 人移住至久良栖[36]。

松鶴國小與街道。（鄭安晞／攝）

36　施添福總編纂，《臺灣地名辭書》（卷十二‧臺中縣）（一），頁440。

松鶴部落舊屋。（鄭安晞／攝）

松鶴部落舊屋。（鄭安晞／攝）

谷關警光山莊。（鄭安晞／攝）

谷關派出所。（鄭安晞／攝）

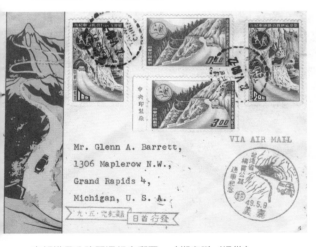

Mr. Glenn A. Barrett,
1306 Maplerow N.W.,
Grand Rapids 4,
Michigan, U. S. A.

中部橫貫公路開通紀念郵票。（鄭安晞／提供）

16. 谷關

谷關舊稱「明治」，日明治末年以前，為シッラク（Shitsuraku）社的所在地，シッラク（Shitsuraku）為濕地之義。大甲溪在此發育兩處河階，高度大致介於 760 ～ 800 公尺之間，居民習以上、下谷關區別之。谷關溫泉位於下谷關，即日治時代的「明治溫泉」。時至今日，仍為遠近馳名的觀光景點 [37]。這幾年因為「中部橫貫公路」谷關到德基段無法通車的情況，昔日車水馬龍的情景，盛況已不復見。

17. 馬崙

馬崙是バロン（Baron）的音譯，位於谷關東北側約 6 公里，馬崙溪和大甲溪匯流處南岸一帶。大正十二年（1923 年）3 月，大甲溪道路完成的同時，便設有バロン（Baron）警戒所，後改成為警察官吏駐在所。戰後，警所

---

[37] 施添福總編纂，《臺灣地名辭書》（卷十二 臺中縣）（一），頁 441。

馬崙山稜線上俯瞰哈崙台部落。（鄭安晞／攝）

哈崙台部落。（鄭安晞／攝）

哈崙台展望馬崙。（鄭安晞／攝）

東遷並改稱「馬陵 」派出所；民國五十年代，臺灣省水產試驗所設置一鱒魚繁殖場，並自日本引進種魚[38]。

18. 青山

　　青山位於谷關東北東方約 10 公里處，為自然天成的峽谷地形，日治時代名為「久良屏峽」。昭和三年（1928 年）8 月，輾轉遷徙至此的ウライ（Urai）社眾計有 7 戶 40 人，而成部落；其後，又有移住計畫，但延至終戰前，仍未定案。日人亦曾計畫在此河段興建「大甲溪第一發電所」，不過並未付諸行動。戰後，政府於此設置青山電廠，始有「青山」之名[39]。

19. 德基

　　德基原名「達見」，位於谷關東北東方約 20 公里處。日治時代原無人跡，僅設置有「達見警戒所」，後改為「達見警察官吏駐在所」。此河段的大甲溪河川坡度陡峻，並有多處隘口，早已為日人注意而迭有開發之議。昭和十七年（1942 年），臺灣總督府國土局擬定「大甲溪開發事業」，計畫在大甲溪上游築堰蓄水，以達開發電力、調節洪水、提供農業灌溉和工業用水的目標。然而，旋因日本戰敗而致計畫中斷。戰後，民國政府沿襲日人規劃，透過美援，此電力開發計畫仍以德基為樞

38　施添福總編纂，《臺灣地名辭書》（卷十二・臺中縣）（一），頁441。
39　施添福總編纂，《臺灣地名辭書》（卷十二・臺中縣）（一），頁442。

紐，完成的電廠共有德基分廠、青山分廠、谷關分廠、天輪分廠、天輪五號機、馬鞍機組及社寮機組等 7 處，構成串聯式水庫電廠，統稱為「大甲溪發電廠」。民國八十八年（1999年）「九二一大地震」後，中橫道路部份嚴重受損，崩坍的土石也影響德基水庫的運作[40]。

20. 佳陽

佳陽是「カヨウ社」（Kayou）的音譯，乃「凹地」之義，原位於現址北側大甲溪南岸的河階面上，約有 30 餘戶泰雅人居住在此。為因應德基大壩完成後，水面上升將淹沒舊佳陽之情況，乃遷建於現址。現址在德基東北東方 5 公里處，稱「新佳陽」[41]。

佳陽部落。（鄭安晞／攝）

40　施添福總編纂，《臺灣地名辭書》（卷十二‧臺中縣）（一），頁442 ～ 443。
41　施添福總編纂，《臺灣地名辭書》（卷十二‧臺中縣）（一），頁443。

21. 梨山

梨山西距佳陽2.5公里處，海拔高度約1700～2000公尺，是一片廣大的緩起伏面。大正十四年（1925年）2月，日本政府將分布於現居地西側，大甲溪左岸キシアイ（Kishiai）和右岸ペルモアン（Perumoan）的泰雅族集中，並設立「サラマオ社」（Saramao），劃定蕃人所要地。日治時代原社址位於較低處之舊日派出所附近，即今所謂的「老部落」，並積極推動水田稻作，更引進桃、李、柿子等作物；戰後進一步引進新品種，如世紀梨等經濟作物[42]。

舊梨山部落。鄭安晞私人收藏照片。（鄭安晞／翻攝）

42　施添福總編纂，《臺灣地名辭書》（卷十二　臺中縣）（一），頁443～444。

梨山原住民。勝山寫真館,《台灣紹介最新寫真
集》,1931。(鄭安晞/翻攝)

日治時期 saramao 社的原住民家屋。鄭安晞私人收藏照片。(鄭安晞/翻攝)

第二章 Chapter 2

重大歷史事件與人物

歷史發展過程中，有些人的資料在某些特殊的情況下被保存下來，但由於原住民普遍用口述歷史方式，因此鮮少有更早期的文字記錄，進入日治時期後則有較多的記錄被保留下來，因此第二部就介紹四件影響臺中泰雅族的重大歷史事件以及九位重要的歷史人物，在強調本土文化教育的思潮下，發掘出與和平區重要的歷大事件與重要人物，更是刻不容緩。

（一）重大歷史事件

1. 白冷事件

　　大正九年（1920年）7月6日，因為牛欄坑以南並沒有設置鐵條網，原住民大舉襲擊隘勇線，當時有三名隘勇戰死，接下來襲擊白冷駐在所，有兩名巡查戰死，三名負傷，家族也有一名負傷，酒保員一名即死，又襲擊到稍來坪駐在所，傷巡查一名，來襲的楓樹頭稍來坪方面的原住民，到七日早上都尚未退去。

　　據傳在二個月以前，臺中廳北勢群有不穩現象，官方開始編制搜索隊，因為歸順已久相繼平穩，南勢蕃社之白冷與稍來兩監督所與其他分

白冷事件老照片。蕭永盛老師私人收藏照片。（鄭安睎／翻攝）

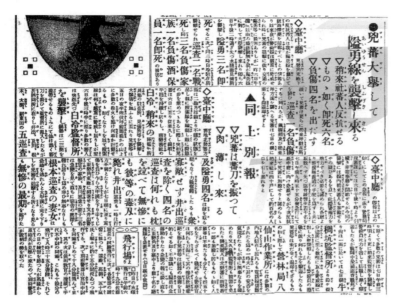

白冷事件 1920 年 7 月 8 日的報導。資料出處：《台灣日日新報》。（鄭安晞／翻攝）

遣所，皆被襲擊，此原住民先在埋伏坪對面的山上，遙點許多松火，似乎有所計劃，搜索隊也嚴重警戒著，6 日午後 3 點半有許多原住民突然襲擊白冷監督所，僅僅攜帶二、三把槍枝，其餘都是蕃刀，衝入監督所，當時在所內者有井出、及川、根本橋、河東田五位巡查與隘勇四名，怎奈寡不敵眾，除井出外，其餘皆遭難。7 日一早，循大甲溪而下至東勢角支廳，其他人與及川妻子三人，目睹此變，急忙躲藏，根本巡查之妻子亦急奔大甲溪，但也遭難。同日上午 3 點，襲擊稍來監督所，染浦巡查最後戰死，牛欄坑監督所至森鈴分遣所間，原住民大舉來

襲，雖警備員應戰，但原住民不肯退去，八仙山作業所電話線被切斷，還好人員安全，久良栖監督所倖免於難，東勢角與臺中急派巡查練習生若干名，前來協助[1]。此事件一直到大正十年（1921 年）才逐漸平息。東卯溪稍來社頭目朱央拜帶原住民三人到埋伏坪，繳槍三把，請求歸順，後安置於埋伏坪[2]。

2. 梨山事件

大正九年（1920 年），臺中州 Slamaw 原住民，受到東勢郡北勢群的騷動影響，情形日益敗壞，6 月下旬後，不安的狀態更加明顯，大有攻擊 Saramao 駐在所的趨勢，後因支援趕赴，始化險為夷。但 9 月 18 日，還是襲擊合流點分遣所與捫岡駐在所，殺傷警備員多人。9 月 16 日，Kayo 社與 Kiyay 社的原住民露出反抗態度，駐在所所在地頭目 Yumin Watan 極力安撫，仍無法控制，駐在所不得不撤退，該所巡查下松仙太急報相澤警部補，攜眷與頭目當天抵達長阪駐在所，9 月 24 日下午 4 時，駐在所建築物就被放火焚毀，冒出黑煙。

根據日文記載，9 月 18 日上午 1 時，Slamaw 原住民 60 多人，守屋的義見巡查夫婦、菊池禮一夫婦及其長子、小島辰十郎慘遭殺害後被馘首，警手黃其武當場死亡，巡查湯其福、

---

1 吳萬煌譯，《日據時期原住民行政志稿》（第四卷），頁 24。
2 臺灣日日新報社，〈兇蕃大舉して隘勇線を襲擊し來る〉《臺灣日日新報》，1920 年 7 月 8 日 7 版。

陳球，警手宋阿順、劉願哭、林清元、黃立賢等 6 人死裡逃生，往馬里克灣警戒所避難，出差至白狗的長崎警部命令馬烈坡警戒所下山警部補率 30 名原住民前往救援，另佐塚警部補率領原住民 16 人趕赴現場，另外豬瀨警部率領巡查 7 人參加救援，上午 11 點又傳來柵岡駐在所被襲擊消息，交由下山警部補負責守備，其餘趕往柵岡馳援。

當天上午 11 點，Slamaw 原住民與 Kiyay 社頭目等 30 人，前往柵岡駐在所，求見所長久保警部補，屋外原住民突然闖入開槍，警部補久保榮左衛門、巡查武藤八左衛門，警手陳送等 3 人被馘首，警手戴草與徐堂 2 人慘死，另外巡查玉尾五郎、菅原留造、深川義五郎及蔡慶全等 6 人，受輕重傷，躲在歧路駐在所，佐藤警部 19 日上午 8 時到駐在所時，已被燒毀，現場凌亂，左高巡查負傷後躲起來，能高郡獲報，則急派巡查 16 人及警手 8 人，並召集該社原住民 85 人，擔任警戒[3]。

大正九年（1920 年）9、10 月間，更利用馬列巴原住民突襲 Slamaw 群[4]，臺灣總督府怕羅東郡溪頭群支援，請臺灣軍司令部動用兵力，維持臺中能高郡白狗群、臺北州能高郡、羅東郡一帶溪頭群秩序。後軍師令部下達增援部隊，針對白狗與

3　吳萬煌譯、古瑞雲，《日據時期原住民行政志稿》（第三卷），頁 553～560。
4　吳萬煌譯，《日據時期原住民行政志稿》（第四卷），頁 43～48。

霧社地區守備，一直到 11 月底才逐漸平息[5]。

3. 遠藤事件

雪山坑社最有關係的歷史事件為「遠藤警部殉職事件」，當年大正九年（1920 年）10 月 3 日，服務於警務局飛行班的遠藤市郎，駕駛 22 號中島式飛機，前往雪山坑溪上游轟炸原住民家屋，也偵測到馬比魯哈（Mabiruha）社的巢穴。4 日，再度駕駛 41 號座機與依田忠明囑託飛到雪山坑上游轟炸，因為機械故障，墜落在敵方區域中，同機的依田沿著雪山坑溪逃了出來，遠藤警部則因昏迷，被原住民所殺[6]，這是根據臺灣總督府所做的事後報告所得知之情形。

但是，根據當地泰雅族人口述歷史的說法，實際的情形與史書記載則不同，根據族人口述，則不是飛機機械故障，當年遠藤警部偵測山區時，Kagi Nokeh 頭目發現日本人時常利用飛機，想要偵查原住民的部落位置，而且每次飛行高度都非常低，很貼近樹梢，接連好幾次都是如此，因此 Kagi Nokeh 想到如何打下飛機的方法，有一次飛機又一如往常飛到附近巡邏，Kagi Nokeh 派 10 多名泰雅族原住民背負散發槍枝，爬到二葉松樹梢展望，趁著飛機降到 Balon 部落上方，當離

5　吳萬煌譯、古瑞雲，《日據時期原住民行政志稿》（第三卷），頁 553 ～ 560。
6　吳萬煌譯，《日據時期原住民行政志稿》（第三卷），頁 564 ～ 565。

氏名	所属・在所	事績	本籍	年齢	合祀
佐高實太郎	臺中州巡查　錫証支廳門岡駐在所	大正九年九月二十日部內鐵條網線踏查中誤て接觸感電震死した。	岐阜縣稻葉郡各務村字各務	三十歳	建功神社合祀
谷口重治	新竹州巡查　竹東郡峇原分遺所		靜岡縣濱名郡赤佐村根堅八四	二十二歳	建功神社合祀
遠藤市郎	總督府警察航空班　屏東警察署分　臺中州巡查	警察飛行班の一員として大正九年十月四日第四十一號機に搭乘臺中州東勢郡下斎地成廣飛行中機體に故障を生じ雪山抗溪上流地方に墜落負傷せる處に兇番の襲擊を受け戰死した。	福島縣安達郡仁井田村大字五百川一六	三十歳	建功神社合祀
市川信男	東勢郡水城見張所	大正九年十月八日所內外警備中誤て鐵條網に觸れ感電震死した。	三重縣河幾郡天名村大字御圓二七五三	二十九歳	建功神社合祀
仁木三十郎	花蓮港廳巡查部長勳八等　玉里支廳	大正九年花蓮港廳は玉里支廳より八通關越道路開鑿隊を編成し工事進捗中十月二十三日トマス溪附近巡視中の仁木部長は潛伏せる兇番の狙擊に斃れた。更に十二月二十四日には建築材料輸送監督中の高谷巡查がワバー警戒所附近に於て兇番の狙擊を受け同樣卽死を遂げた。二十九日には赴任途中の田中巡查がトシリ駐在所附近に於て兇番の狙擊を受け同樣卽死を遂げた。	宮城縣遠田南鄉村大字御圓　柳區五〇	四十一歳	建功神社合祀
高谷米吉	花蓮港廳巡查勳八等　玉里支廳タ-ブン駐在所		大阪府泉南郡下荘村大字見掛一四三	三十四歳	建功神社合祀
田中金兵衛	花蓮港廳巡查　玉里支廳藔駐在所		東京府豐多摩郡代々幡町代々木山谷三一	二十八歳	建功神社合祀

一七七

遠藤市郎生平紀錄。資料來源：《臺灣警察遺芳錄》。（鄭安晞／翻攝）

蕃人展望樓。資料出處：鄭安睎私人收藏明信片。（鄭安睎／翻攝）

(18) 〔行書會商閱彩〕　Formoa.　臺望展人蕃

松樹非常接近時，Kagi Nokeh 突然下令發射子彈，雖然沒有命中警察，結果飛機卻因被子彈打到，而引發機械故障，最後掉到雪山坑溪，機上有兩位警察，遠藤警部因為腿斷，昏迷而無法移動，被原住民所殺，另一位警察跑到雪山坑口的駐在所求救，逃過一劫。至於事實如何，因為年代久遠，則無從得知[7]，也並存多種說法，讓讀者知曉。而根據當地泰雅族的口述歷史，在雪山坑上游還可以找到當年墜機處，目前則在雪山坑溪與大安溪匯流口的左岸高地，附近也有昔日吊橋頭，立了紀念碑。

4. 青山事件

昭和十七年（1942 年）出生的陳阿生（Salaw Yumin）先生，他從媽媽那裏聽來「青山事件」，媽媽是在當時親身經

7　2009 年 2 月 22 日，在臺中縣和平鄉達觀村雪山坑部落，訪問陳榮爵先生。

遠藤警部紀念碑。（鄭
安晞／翻攝）

歷那場事件的人，因此曾聽其講述發生過程，過程相當清楚，
根據他的記憶，青山事件是發生在霧社事件前兩年，也就是
昭和三年（1928 年）[8]。當時日本人為了以蕃治蕃，利用莫那

8　也有一說是昭和四年（1929 年）。

魯道的部落與青山這邊一個叫 Ulay Lima 的部落之間獵場的糾紛，日人說動了莫那魯道去攻打 Ulay Lima，並發了 200 多支槍給莫那魯道的部落。然而就在他們前往突襲的途中，在紅香被人發現了他們的企圖，那個人與 Ulay Lima 的人有親戚關係，於是就決定趕緊去向 Ulay Lima 通報，沒想到他一到了 Ulay Lima，發現部落的男生都去打獵了，只剩下老人跟婦孺，於是通報的人趕緊離開部落去找在山裡打獵的男人，就在這期間，莫那魯道攻擊了 Ulay Lima，由於部落都是老弱婦孺，因此他們不用槍，而是用刀殺了 35 人左右，陳阿生的媽媽當時就是 Ulay Lima 部落的一員，事件發生當下，她和幾個年紀相似的小孩趕緊躲到床底下才避免被殺害。Ulay Lima 的男丁接到通知之後很生氣，決定要馬上採取報復行動，於是決定埋伏在莫那魯道回程的路上，在前往埋伏的途中遇到部落的婦女，於是雙方共同合作設陷阱殺害了莫那魯道隊伍將近三分之一的人。

（二）和平區重要人物

1. 林講文（Yabu Wasyat）

1919 年 5 月 28 日生，1985 年 6 月 8 日卒，其祖先來自南投縣仁愛鄉紅香（Mknaji）部落，原居住青山（Pesyux）部落，曾經在「青山事件」時，由母親背著他，躲到鞍馬山、小

後方為林誠牧師賢伉儷手中所抱的小孩為後來的林建堂議員。資料出處：《臺中縣和平鄉泰雅族專輯》（1987）。（鄭安睎／翻攝）

雪山一帶，其父親也在此次事件中陣亡，當事件平息後，林講文由頭目 Lbak Paran 帶下山，居住在今臺中市和平區博愛里松鶴部落，後來母親改嫁，林講文與林敏（Kawas Wilang）為同母異父的兄弟[9]，林敏曾為基督教長老教會博愛教會牧師，日前已退休在家務農，與妻子在上谷關經營「上谷關觀光休閒農場」。林講文與林玉蓮（Kunaug Nokang）結婚，婚後育有八子，三男五女，長女不幸夭折，長子林躍武亦為基督教長老教會博愛教會的牧師。

　　日治時期，林講文就讀「久良栖蕃童教育所」，畢業後，

9　蔡彗玉編，《中縣口述歷史》（四）（臺中：臺中縣文化中心，1997年），頁 177 ～ 206。

久良栖蕃童教育所。蕭永盛老師私人收藏照片。（鄭安晞／翻攝）

接續就讀「霧社農業講習所」，爾後擔任警察官吏駐在所的
「警丁」，曾任柔道教官，帶領泰雅族青年贏得當時的的團體
組總冠軍。戰後，和平鄉曾短暫由官方指派雙崎部落的陳富
連[10]擔任首屆官派鄉長，林講文也曾在和平鄉公所擔任職員，
歷任鄉公所幹事、鄉公所技士、鄉長、副鄉長、縣參議員。
1947年發生了「二二八事件」，Wasyat因為曾協助官方，擔
任倉庫警衛，故未遭受此事件的波急[11]。臺灣省實行地方自治

10　另一紀錄為林煙仔，林世珍，〈人物志〉，《臺中縣志》（臺中：
　　臺中縣政府，1989年），頁319。
11　臺灣省文獻委員會，《臺中縣鄉土史料》（南投：臺灣省文獻委員會，
　　1994年），頁68。

後，1950 年當選第三屆民選和平鄉鄉長，同年 7 月 10 日到任，1953 年 4 月 1 日卸任[12]。鄉長任期屆滿之際，又參選第二屆臺中縣議員，又獲得當選，任期自 1953 年 2 月 21 日至 1955 年 2 月 21 日[13]。任期屆滿後，繼續回到鄉公所農業課服務，舉辦多次原住民農作物競賽，直到 65 歲從公職退休，返家改為自耕農，含飴弄孫，後安享天年，回天主懷抱[14]。

2. 黃漢貴（Yakaw Watan）

Yakaw Watan 黃漢貴。資料來源：家屬提供。（鄭安晞／翻攝）

　　1892 年 2 月 4 日年出生（民前 20 年），卒於 1971 年 8 月 25 日，享年 81 歲，Yakaw Watan 為今日臺中市和平區平等里環山（Sqoyaw）部落泰雅族人，日治時期擔任 Shikayau 社環山部落的大頭目，環山部落的泰雅族原來居住在 Ciqolagan、Towaqa、Silun、Sinat 等 四處，當時因為「Shikayau 隘勇線推進」以及「卑亞南警備道路」修築的緣故，逐漸集中到 Sqoyaw 一處居住。黃漢貴最著名的事蹟，為保護佳陽社（Kayuo）的族人，免受日本官方與霧

12　林世珍，〈人物志〉，《臺中縣志》，頁 319。
13　http://www.tccc.gov.tw/member.php?action=view&nid=98，2009/02/23。
14　2009 年 1 月 17 日，在臺中縣和平鄉博愛村上谷關，訪問林講文其弟林敏先生、其子林耀武先生，林敏，《大甲溪流域泰雅爾變遷傳奇》，2014 年出版。

日治時期環山部落。鄭安晞私人收藏照片。（鄭安晞／翻攝）

環山部落原住民。鄭安晞私人收藏照片。（鄭安晞／翻攝）

社地區賽德克族的騷擾。大正九年（1920年）6月起，由於受到東勢郡泰雅族北勢群的影響，情勢非常不穩，9月18日起，佳陽、梨山地區的泰雅族人屢屢襲擊分遣所與警察官吏駐在所，搶奪槍枝與彈

願社平和：臺中和平地區原住民聚落

環山部落今貌。（鄭安晞／攝）

藥，因此日本官方不得不採取採取「以蕃治蕃」的方式，慫恿
霧社賽德克族人、白狗方面較親近的泰雅族人進行奇襲，共有
55 人被殺 [15]，有很多人跑到環山部落後方避難，並接受大頭目
庇護，得以倖免於難，關於這個史蹟，環山、梨山、佳陽等一
帶的泰雅族族人，仍知之甚捻 [16]。

15　臺灣總督府理蕃課，《高砂族調查書》（臺北：臺灣總督府理蕃課，
　　1938 年），頁 116 ～ 117；吳萬煌譯、古瑞雲，《日據時期原住民
　　行政志稿》（第三卷），553 ～ 570。
16　2009 年 2 月 14 日，在臺中縣和平鄉平等村環山部落，訪問黃漢貴
　　孫黃國盛、梁一正先生。

泰雅族環山部落。鄭安晞私人收藏照片。（鄭安晞／翻攝）

日治時期環山部落泰雅族少女。資料來源：《臺灣國
立公園寫真集》。（鄭安晞／翻攝）

3. 蔡文瑞（Tusang Nomin）

　　1913 年 9 月 19 日出生，卒於 1971 年 12 月 27 日，今日臺中市和平區平等里松茂部落人，與蔡想妹（Lituk Bonay）結婚，育有九子，二女七男，其長男蔡長管目前擔任臺中市和平區環山村里辦公室幹事，暇餘喜好泰雅族傳統樂曲。蔡文瑞為環山、松茂地區還熟悉泰雅古調的耆老之一；泰雅族的古調 Lmuhuw，透過吟唱方式，將部落神話傳說和祖先口耳相傳的遺訓，流傳著祖先的歷史記憶片段，吟唱的時候就是述說著祖先的歷史過往，由於蔡文瑞生前曾經將泰雅古調傳世，目前的家族仍有多人會吟唱，據說每次部落有慶典或是結婚時，他都會受邀前往吟唱，與其它部落的耆老，相互對唱；其子蔡長管先生也遺傳自父親的音樂細胞，曾協助臺中市和平國中臺中市原住民民族教育資源中心，編纂、記音《泰雅爾之調》一書。

　　（附傳：蔡想妹（Lituk Bonay））

　　蔡文瑞的妻子蔡想妹，出生於 1908 年 3 月 5 日，卒於 1988 年 2 月 1 日，蔡想妹擅長編織，在松茂部落赫赫有名，夫婦兩人堪稱和平區後山絕無僅有的泰雅文化傳承者[17]。

17　2009 年 2 月 14 日，在臺中縣和平鄉平等村松茂部落，訪問蔡文瑞子蔡長管先生。

4. 朱清江（Yabu Temu）

右為朱清江，左為陳和貴。資料來源：家屬提供（鄭安晞／翻攝）

1932 年 5 月 10 日生，於 2007 年 10 月 9 日卒，臺中市和平區自由里雙崎部落泰雅族人，育有九子，有四男五女，朱清江與張銀文（Yumin Hayon）為表兄弟，也是第四屆縣議員林朝欽夫人的堂哥，其女兒朱秀鳳嫁給第十二屆縣議員陳和貴，目前服務於和平區戶政事務所[18]。朱清江的祖先為埋伏坪社頭目，父系系譜：Suyuan Lalu（朱養老）→ Temu Suyuan → Yabu Temu（朱清江），據說 Suyuan Lalu 原居住於雙崎附近，因為日本人的討伐戰爭，躲到今日摩天嶺的後方高地[19]，後來經日本人的勸導，再移住到埋伏坪社（今之雙崎部落）。

日治時期，朱清江曾就讀六年制的「埋伏坪教育所」，後來陸續就讀東勢公學校、大甲初中、陸軍官校等。並曾擔任

18　臺中縣議會，《臺中縣議會回顧專輯》，臺中：臺中縣議會，1994 年，頁 175 ～ 179。

19　臺中縣文化中心，《中縣文獻》（三），臺中：臺中縣文化中心，1995 年，頁 133 ～ 134。

願社平和：臺中和平地區原住民聚落

和平鄉第五屆的鄉民代表、第一屆和平鄉農會理事長、第三屆的農會理事以及和平國中家長會長，也曾經當選第九屆臺中縣議會議員，任期自 1977 年 12 月 30 日至 1982 年 3 月 1 日，議員任內專注原住民建設，拓寬從東勢往和平鄉自由村的東崎道路、穿崠產業道路以及多條產業道路，對於推廣鄉民農業，不遺餘力，為人正直，頗受好評 [20]。

5. 陳文良（Walis Kumu）

　　1902 年 5 月 9 日，卒於 1982 年 8 月 8 日，出生於青山（Pesyux），日人稱為 Ulai 社，陳文良為原青山部落頭目，育有七子，四男三女，其祖先約據今一百三十年前從南投縣仁愛鄉瑞岩部落，來到今天中部橫貫公路青山發電廠附近居住，有三處小聚落：即青山臺電宿舍、Biyasan、總統行館附近，其頭目系統為 Walis Kumu（陳文良）→ Mekax Walis →

右二為陳文良。資料來源：家屬提供。（鄭安晞／翻攝）

20　2009 年 2 月 18 日，在臺中縣和平鄉南勢村南勢部落，訪問朱清江女兒朱秀鳳女士、女婿陳和貴先生。

陳和貴。當年陳文良與 Began Kumu、Shiat Kumu 兩位表兄弟，因為不滿日本人沒收槍枝，曾經殺過日本警察以及在東卯溪從事腦業的漢人，因此日本警察頗為頭痛。大正九年（1920 年）官方慫恿霧社與賽德克族的莫那魯道前往偷襲青山部落，當時有 22 人被馘首，隔年（1921 年），又有 Maleba、Marikowan 的襲擊，也造成 12 人被馘首[21]，先後共有兩次[22]。1921 年，日本警察派出同族久良栖阿冷社頭目 Shiat Hayun，前往勸導與招降，但是頭目仍不肯歸順[23]。1923 年，陳文良前往久良栖駐在所歸順，當時東勢郡郡守特別前往會晤，因為耕地與害怕瘧疾的因素，居住在加恩拜肖克以北約 2 公里處，一來地勢較高，二來與舊社較為接近，從事水田稻作[24]。1937 年，再移居到哈崙臺。戰後也曾在八仙山種植杉木。其孫子陳和貴先生與朱清江女兒聯姻，亦為繼任為頭目，繼承先人領導才幹。對於泰雅族的歷史、和平鄉的政事，知之甚捻，於多年前過世。

6. 陳錦鳳（Yuma Laix）

　　1906 年 7 月 25 日出生，卒於 1978 年 9 月 6 日，先生陳金井 (Houbin)，出生於 1904 年 7 月 1 日，卒於 1997 年 12 月

21　臺灣總督府理蕃課，《高砂族調查書》，頁 115～116。
22　2009 年 2 月 18 日，在臺中縣和平鄉南勢村，訪問朱清江女兒朱秀鳳女士、女婿陳和貴先生。
23　吳萬煌譯，《日據時期原住民行政志稿》（第四卷），頁 22。
24　吳萬煌譯，《日據時期原住民行政志稿》（第四卷），頁 354～355。

5 日，皆為臺中縣和平鄉自由村雙崎部落人，擅長泰雅族傳統編織，每次和平鄉原住民家政班的大小編織作品比賽，總是獲獎無數，為族人津津樂道，曾經設立「尤瑪編織工作室」，是臺中市和平區內最早成立的紡織個人工作室。

陳錦鳳。資料來源：家屬提供。（鄭安晞／翻攝）

早年，陳錦鳳個人的紡織作品，因為平地人的收購，以及遇到 1999 年的「921 地震」家屋損毀因素，可惜沒有作品傳世。其孫子陳文成曾為雙崎社區發展協會理事長，對於重建族人自信、提升部落產業，發展部落觀光、美化部落形象等社區總體營造，不遺餘力。

7. 張銀文（Yumin Hayon）

1930 年 9 月 12 日出生，卒於 1988 年 7 月 13 日，臺中縣和平鄉自由村（雙崎部落）泰雅族人，太太張吳阿代（Tabas Ubau）為梨山（Salamao）人，定居於雙崎部落，從事農作，育有三個女兒，大女兒嫁到霧社、二女兒嫁到日本、三女兒嫁給象鼻部落的泰雅族人。日治時期，張銀文就讀六年制的「埋伏坪蕃童教育所」，畢業後也曾就讀一年的高校。戰後，就讀臺灣省立臺中師範學校簡易科（今臺中教育大學）；畢業後，

張銀文伉儷。資料來源：家屬提供。（鄭安晞／翻攝）

被分發到梨山國小服務四年，續當了六年的校長，分校主任、國校校長，他與林朝欽都是曾擔任國小校長，兩位都是從教育體系出來，進而從政的政務人員，因此對於和平區泰雅族的原住民教育問題特別的重視[25]。

張銀文曾擔任第五屆臺中縣議員，任期自 1961 年 2 月 21 日至 1964 年 2 月 21 日[26]，1961 年任內，參與「山地行政調查報告書」，針對和平區族人的交通、產業與電力設施頗有建言[27]，也曾參選國民大會代表，為改進山地同胞生活，特籌畫設立山地技藝訓練中心，以及擔任長達九年的和平鄉鄉長，任內推行鄉政，建樹頗多[28]。

---

25 臺中縣議會，《台中縣議會回顧專輯》，頁 175 ～ 179。
26 2009 年 2 月 22 日，在臺中縣和平鄉自由村，訪問張銀文妻 Tabas Ubau 女士。
27 臺中縣議會，「第五屆第 03 次定期大會」，〈臺中縣議會／第五屆／第 03 次定期大會〉〈三、專案小組調查情形報告〉，1961 年。
28 http://www.tccc.gov.tw/member.php?action=view&nid=263，2009/02/23。

8. 波奈・道拔思（Bonay Taubas）

出生年月日不詳[29]，卒於昭和二年（1927 年）12 月 2 日，波奈・道拔思為羅布溝社頭目，後為竹林部落的已故頭目。日治時期，

賴茂清。（鄭安晞／攝）

由於居中協調泰雅族北勢群族人與日本官方，被日本封為「北勢蕃頭目」，死後日本官方於昭和六年 9 月 20 日在竹林部落旁為其建墓，其頭目系譜：Taubas（第一代）→ Bonay Taubas（第二代）→ Genu Bonay（賴文龍，第三代）→ Shigi Genu（賴茂清，第四代），從第三代頭目 Genu Bonay 以後的戶籍紀錄，比較清楚，Genu Bonay 有改日名：北山義一，戰後又改名為賴文龍。

波奈・道拔思長年臥病在床，大正十五年 5 月 23 日，他邀集副頭目帕揚武庸，有實力者皮哈歐阿波，原住民 13 人與婦女到床前，並請求埋伏坪駐在所遠藤警部與熊谷巡查見

29　日治時期的戶籍謄本，為昭和年間填寫，只從 Genu Bonai（賴文龍）開始紀錄，無法得知 Bonay Taubas 生卒年，亦無日文名字。

證，礙於副頭目一位有眼疾，另一位較為年輕，希望死亡之後，名義上帕揚武庸為頭目，皮哈歐阿波為副頭目，社務採合議制，兩個兒子中 Genu Bonay 堪造就，待皮哈歐阿波無法勝任時再傳位。此外，雖然耕地狹小，但鼓勵族人努力農耕，不可隨意違抗官方，要完全信賴才是，而官方採行的各種生產輔導措施，儘量在現居地附近找適當之土地，種植果樹[30]。

在波奈・道拔思時代，從山上移居到平地，並接受水田稻作方式，定居在竹林部落；他死後，日本人曾經在今日的竹林部落附近的坡地上，為他修築墳墓，後代賴茂清，即居住墳墓附近，目前從事甜柿、高接梨以及高冷蔬菜種植，其女兒嫁給陳錦鳳的孫子陳清春（Zuyu Bali），陳清春為陳文成兄長，2008 年從國中教師退休，在雙崎部落從事社區總體營造[31]。

9. 嘎義・諾給（Kagi Nokeh）

嘎義・諾給（Kagi Nokeh）生卒年不詳[32]，為武榮社頭目，也是「北勢蕃總頭目」，家族世居在大雪山山麓。其父親 Shait Nokeh 為第七代頭目，居住在大雪山林道 49K 的「天

30　吳萬煌譯，《日據時期原住民行政志稿》（第四卷），頁 767～768。

31　2009 年 2 月 22 日，在臺中縣和平鄉達觀村竹林部落，訪問 Bonay Taubas 孫子賴茂清先生。

32　日治時期的戶籍謄本，為昭和年間填寫，只從 Kagi Nokeh 的孫子 Bayon Yabu（早川正治）開始紀錄，無法得知 Kagi Nokeh 生卒年，亦無日文名字。

池」附近；後來在第八代頭目時候，移居到 Balon（很多具大倒木的地方），當時不服從日本官方治理，屢屢偷襲官方駐在所，後來被日本人所殺；第九代 Yabu Nokex 頭目，被日本人押解途中，在今日東勢鎮中坑一帶，也被日本人所殺[33]。嘎義‧諾給時，先遷徙到 Bagan，再移到今日的雪山坑社部落。

嘎義‧諾給。資料出處：《臺中縣和平鄉泰雅族專輯》(1987)。（鄭安晞／翻攝）

日治時期 Bayon Yabu 曾前往日本內地觀光，其太太 Mahong Bay 擅長於泰雅族編織。目前，家族傳至第十一代頭目 Pihaw Bayon（陳榮爵），世居在雪山坑山區務農，從事高冷蔬菜與溫帶水果栽種。根據 Pihaw Bayon 描述，其頭目系譜為：Shait Nokeh（第七代）→ Kegi Nokex（第八代）→ Yabu Nokex（第九代）→ Bayon Yabu（第十代）→ Pihaw Bayon（第十一代）[34]。

33　吳萬煌譯，《日據時期原住民行政志稿》（第四卷），頁 19～26。
34　2009 年 2 月 22 日，在臺中縣和平鄉達觀村雪山坑部落，訪問陳榮爵先生。

（附傳：瑪虹 ‧ 拜（Mahong Bay））

Bayon Yabu 的太太 Mahong Bay（陳阿景），生於 1915 年 5 月 17 日，卒於 2007 年 11 月 3 日，是雪山坑地區非常有名的泰雅傳統織布婦女，其大女兒傳承此項技藝，曾經在臺中縣原住民織布比賽，獲得冠軍。

表 4　台中縣 (市) 和平鄉 (區) 原住民籍縣議員表

任期	姓名	時間	備註
一	林煙仔	民國 40 年 2 月 14 日～ 42 年 2 月 21 日	和平鄉縣議員從缺，由林煙仔代為反應原住民區域問題。
二	林講文	民國 42 年 2 月 21 日～ 44 年 2 月 21 日	
三	張川榮	民國 44 年 2 月 21 日～ 47 年 2 月 21 日	
四	林朝欽	民國 47 年 2 月 21 日～ 50 年 2 月 21 日	
五	張銀文	民國 50 年 2 月 21 日～ 53 年 2 月 21 日	
六	白清文	民國 53 年 2 月 21 日～ 57 年 2 月 21 日	
七	白清文	民國 57 年 2 月 21 日～ 62 年 5 月 1 日	
八	林清亮	民國 62 年 5 月 1 日～ 66 年 12 月 30 日	
九	朱清江	民國 66 年 12 月 30 日～ 71 年 3 月 1 日	
十	周吉德	民國 71 年 3 月 1 日～ 75 年 3 月 1 日	
十一	周吉德	民國 75 年 3 月 1 日～ 79 年 3 月 1 日	

任期	姓名	時間	備註
十二	陳和貴	民國 79 年 3 月 1 日～83 年 3 月 1 日	山地山胞
	陳文書		平地山胞
十三		民國 83 年 3 月 1 日～87 年 3 月 1 日	資料從缺
十四	陳文書	民國 87 年 3 月 1 日～91 年 3 月 1 日	平地原住民
十四	洪金福	民國 87 年 3 月 1 日～91 年 3 月 1 日	山地原住民
十五	洪金福	民國 91 年 3 月 1 日～95 年 3 月 1 日	平地原住民
十五	林建堂	民國 91 年 3 月 1 日～95 年 3 月 1 日	山地原住民
十六	洪金福	2005 年 12 月 3 日選舉 2006 年 3 月 1 就職	平地原住民
十六	林建堂	2005 年 12 月 3 日選舉 2006 年 3 月 1 就職	山地原住民
第一屆臺中市議會	黃仁	2010 年 11 月 21 日～ 2014 年 12 月 25 日	平地原住民
第一屆臺中市議會	林榮進	2010 年 11 月 21 日～ 2014 年 12 月 25 日	山地原住民
第二屆臺中市議會	洪金福	2014 年 12 月 25 日～ 2018 年 12 月 25 日	平地原住民
第二屆臺中市議會	朱元宏	2014 年 12 月 25 日～ 2018 年 12 月 25 日	山地原住民

資料來源：臺中縣議會，《台中縣議會回顧專輯》，台中：台中縣議會，1994 年，http://www.tccc.gov.tw/。

第三章 Chapter 3

泰雅族空間之變化

（一）隘勇線之包圍

　　日治初期，中路的隘線續由林朝棟之堂弟林紹堂所承管，不過鑒於臺灣改隸之初，全島匪亂四起，當時防隘設備極為缺乏，官方認為此隘線對於防範原住民與土匪有功勞，因此認為有存在之必要，繼續讓其沿襲使用。明治廿九年（1896年）9月19日，日本官方將清代阿罩霧林朝棟所施設，由今日臺中水底寮通往埔里社之間的隘路與隘丁歸臺中縣管轄，直屬於臺中辨務署，性質上是民隘，防蕃人員稱為「隘丁」[1]。根據明治廿九年（1896年）10月1日，臺中縣訓令第64號曉諭林紹堂管理隘勇[2]。當時官方曾每月補助隘勇2,000圓，後隘線改

1　臺灣總督府，〈隘勇配置ニ關スル件〉《臺灣總督府公文類纂》，第537冊，13號，永久追加，1900年2月20日。
2　諭文如下：臺中縣貓羅東堡阿罩霧庄　林紹堂
　　飭諭設置隘勇事務，以前貓羅溪東堡紳士林紹堂自置隘勇，以警備蕃界，從今爾後全部隘勇事務專歸本府管理，從明治二十九年十月一日起，按月發給銀貳千円，用以貼補為薪糧費用。為此，示仰林紹堂知悉，從今以後，須遵左開條款，監督隘勇與負責蕃界警務，不得有誤生事，特此示諭：
　　隘勇條款一、諭有非常事件或遭事變，倘遇調用隘丁之時，其事雖係在宣布戒嚴令之前，第二旅團長可能有隨時檄傳命令；當此時即從其命，不得歸諉。二、諭在蕃界撫墾局，遇有撫墾行政之需要，則召隘勇充當其應召勇丁，要立即遵其命令，不得歸諉。三、諭隘勇額數定為四百人。四、諭隘勇之住所及其業姓名、年齡，即要據實報明後，有改換，隨時報明為要。五、諭督監隘勇暫從舊制度，但不得傳有暴戾、輕為之舉；按舊制度，其監督者如何產生，亦須要據實稟報。六、諭遇火品、火藥之缺乏，須要經由地方官員，稟請總督府軍務局，補領之。以上　右諭知悉。臺灣總督府，《臺灣總督府公文類纂》，〈隘勇監督ニ関スル件　臺中縣報告〉，第94冊，第9號，1896年12月17日。

由林紹堂管理，他在自己所有地與蕃界附近防備，爾後防禦蕃匪有功，繼續給予若干補助費，以及借予槍械彈藥，擁有私人的武力，此舉為日方承認隘勇制度之嚆矢[3]。明治卅一年（1898年）12月，官方因林紹堂所主管的隘線，對於保護埔里街往來交通貢獻不少，增加每月補助金為 2,800 圓，繼續供應火槍與彈藥[4]。

明治卅三（1900 年）3 月，官方開始配置隘勇於東勢角支署，從東勢角與水底寮之間，官有隘勇 10 名[5]。選擇少壯、穿定制衣服，每月俸金分三等，一月由 7 圓到 9 圓不等，隘勇管理者則為 12 圓，希望兇蕃不敢出草於交界處[6]。

明治卅三年（1900 年），臺中地區的隘防主要在兩個地方，一處位於東勢角支署附近，其設置目的為了保護支署，另一處為水底寮通往埔里的道路，此條道路事實上修築於清代由林朝棟所修築的隘路，其目的是為了保護製腦業以及保護當時通往埔里的道路 ，所要防禦的是泰雅族北勢群與南勢群為主（見表 5）。

3　陳金田譯，《日據時期原住民行政志稿》（第一卷），南投：臺灣省文獻委員會，1997 年，頁 24。
4　陳金田譯，《日據時期原住民行政志稿》（第一卷），頁 190。
5　臺灣日日新報社，〈臺中の官設隘勇〉，《臺灣日日新報》，1902年 3 月 6 日 4 版。
6　臺灣日日新報社，〈臺中の官設隘勇〉，《臺灣日日新報》，1902年 3 月 13 日 2 版。

表 5 明治 33 年度蕃界警備 (臺中)

縣廳名	辨務署	隘勇人數	配置區域	警備目的
臺中	臺中	15	東勢角支署附近	保護支署
		225	水底寮～馬鞍龍～二櫃～三隻寮～水長流～三層埔	保護製造樟腦

資料來源：臺灣總督府，〈隘勇增設ニ關スル件〉，《臺灣總督府公文類纂》；陳金田譯，《日據時期原住民行政志稿》（第一卷），頁 191。

　　東勢角方面取親和方法，未設隘勇線，僅設置官府僱用之隘勇 15 名於支署。東勢角以南隘勇線，從臺中廳水底寮越二柜（櫃）、三隻寮等山脈之後，沿北港溪越「八幡峠」至埔

往埔里台 21 線的叉路口。（鄭安晞／攝）

願社平和：臺中和平地區原住民聚落

里社之小埔社，為臺中林紹堂
所設。本隘勇線設置時期較早，
一部分已變成屯田，隘勇負責
人稱為「管帶」，但只圖私利，
公然取得錢幣兌換差價及壟斷
供應日用品，本身雖不在隘勇
線，卻以管帶名義，每月坐領
隘丁 15 人份之政府補助款 120

台中地區初期警備。（鄭
安晞／繪圖）

圓，家中僱用甚多護丁、書記及伙夫等，隘丁亦老幼傷病參
雜，無法力行警察之命令，不無鞭長莫及之感[7]。見臺中地區
初期警戒圖。

　　明治卅五年（1902 年）7 月，臺灣北部發生「南庄事件」，
此事件有生蕃、隘勇等人參與，因此當時日本官方將主管「隘
勇線」機關改為警察本署管理，為了防備原住民及積極擴張
製腦地，認為「隘勇線」制度是一項積極且有效的政策；當
年年底取消「補助隘勇制度」，並將隘勇全部改為官派，以
便統一調度，如此可逐漸地擴張隘勇線[8]。

7　陳金田譯，《日據時期原住民行政志稿》（第一卷），頁 199 ～
　　200。
8　陳金田譯，《日據時期原住民行政志稿》（第一卷），南投：臺灣省
　　文獻委員會，1997 年，頁 147 ～ 148。

明治卅五年（1902 年）下半年有關隘制之新例，9 月以密令規定蕃地不安定時，隨討伐隊、搜索隊或由 10 人以上警察官吏組織之搜索隊勤務之隘勇，每日得增發 10 錢以內之薪俸，鼓勵參與非常勤務[9]。

明治卅七年（1904 年）7 月，臺灣總督府以訓令第 120 號制定〈隘勇線設置規程〉，作為隘勇線設置的基本規範：

〈隘勇線設置規程〉

第一條

設置隘勇線時，應列舉左列事項呈請臺灣總督認可，變更隘勇線時亦同。 一、設置或變更隘勇線之理由。二、隘勇線之長度、監督所等之處數、配置人數及地圖。三、經費預算數。四、其他參考事項。

第二條

隘勇線設置隘勇監督所、隘勇監督分遣所及隘寮配置左列警備員。一、隘勇監督所警部（警部補）、巡查（巡查補）及隘勇。二、隘勇監督分遣所巡查（巡查補）及隘勇。三、隘寮隘勇。前項以外，必要時得配置隘勇伍長。

9　陳金田譯，《日據時期原住民行政志稿》（第一卷），頁 201。

第三條

蕃地警備員之員額另定之。廳長應規定監督所等之員額呈報[10]。

往後，隘勇線的推進有一定的作業標準，至於為何要「隘勇線推進」呢？

所謂隘勇線前進，就是因為有開發利源及壓迫兇蕃之必要，故從現在線路向前推進，佔領新的地勢優良之處，而設置線路的意思。由於此新線之設置，而使得被包容的地區，成為安全的地區，不僅得以開發拓墾、伐木、採腦等利源，而且新線更可作為壓制其前面蕃社之工具[11]。

可知其隘勇線實施之理念有二，第一是經濟利益，第二是為壓制蕃社。由於北臺灣盛產樟腦，因此作為日本官方最早「隘勇線」推進的地區。

日治初期臺中地區的隘勇線，皆屬民間防隘措施，一直

10　陳金田譯，《日據時期原住民行政志稿》（第一卷），頁 284～294。
11　持地六三郎，《臺灣殖民政策》（日本：富山房，1912 年），頁386。

到了明治卅五年（1902 年）以後，開始漸次推進隘勇線，經過整理之後，相關蕃社討伐與推進隘勇線，可參見如表 6。

表 6　臺中地區隘勇線與推進隘勇線簡表

年代	廳別	蕃社討伐及推進隘勇線	備註
明治 35 年	臺中廳	大甲溪上游、埋伏坪、稍來社討伐	
		牛欄坑、茅埔間推進隘勇線	
明治 38 年 12 月	臺中廳	臺中廳白毛推進隘勇線	新設 6 里 31 町 22 間（約 26.9 公里），撤廢 4 里 14 町 6 間（約 17.2 公里）。
明治 38 年	臺中廳	サラマオ社討伐	
明治 44 年	臺中廳	大甲溪方面推進隘勇線	
明治 45 年	臺中廳 新竹廳	北勢蕃討伐（新竹ローブゴー方面）（ローブゴー方面推進隘勇線）	自 1-3 月，新設 1 里 14 町 43 間（約 5.5 公里），撤廢 2 里 5 町 10 間（約 8.4 公里）。
大正 2 年	臺中廳	シカヤウ、サラマオ蕃討伐	
大正 8 年	臺中廳	サラマオ方面討伐	
		北勢蕃方面討伐	
大正 9 年	臺中州	サラマオ方面討伐	
		北勢蕃方面討伐	

資料來源：北野民夫編，《臺灣二》（現代史資料 22），頁 406～

遠眺牛欄坑隘勇線。（鄭安晞／攝）

410[12]；田原委人子，〈隘勇線小誌〉，《蕃界》（三），頁 144 ～
148[13]，由於二書所載的里程數有所出入，因此併列，經筆者整理
與修正。

　　根據上述基本資料，以下就簡略說明臺中地區重要的推

進隘勇線過程以及正確位置。

1. 牛欄坑隘勇線

　　明治卅五年（1902 年）11 月，臺中廳曾經出動警察部隊

討伐北勢蕃，當戰役結束後，即在臺中廳轄內鋪設「牛欄坑隘

12　北野民夫編，《臺灣二》（現代史資料 22），東京：株式會社みす
　　ず書房，1986 年，頁 406 ～ 410。
13　田原委人子，〈隘勇線小誌〉，《蕃界》（三），臺北：生蕃研究會，
　　1913 年，頁 144 ～ 148。

勇線」，試圖切斷南勢蕃與北勢蕃的聯絡[14]，以防堵大甲溪以北的泰雅族侵擾東勢附近的民庄。此條隘勇線的位置，大約從大安溪的埋伏坪附近，往北接苗栗境內的隘勇線，往南則從觀音溪附近爬上牛欄坑山，經過石壁崠、大茅埔山，最後抵達大甲溪附近的馬鞍寮附近[15]。由於此條隘勇線屬於早期的隘勇線，相關的警備設施位置不甚確定，請參閱表 7、8。

表 7　牛欄坑隘勇線與其警備概況表（1902 年）

管轄	隘勇監督所	隘勇監督分遣所	隘寮	修築（年）	廢止（年）	備註
東勢角支廳	監督本部			1902		無名稱，故無法確認，以下同。
		第一監督所	3	1902		
		第二監督所	6	1902		
		第三監督所	4	1902		
		第四監督所	6	1902		
		第五監督所	6	1902		
		第六監督所	3	1902		
		第七監督所	6	1902		
		第八監督所	5	1902		

14　臺中廳蕃務課，《臺中廳理蕃志》，頁 150～151。
15　臺灣日日新報社，〈紀隘勇線〉《臺灣日日新報》（漢文版），1903年 4 月 29 日 5 版。

管轄	隘勇監督所	隘勇監督分遣所	隘寮	修築（年）	廢止（年）	備註
東勢角支廳		第九監督所	5	1902		
		第十監督所	5	1902		
		第十一監督所	7	1902		
		第十二監督所	10	1902		
		第十三監督所	9	1902		

資料來源：臺灣總督府，〈臺中訓令第二十一號 東勢角支廳隘勇線警察官吏及隘勇配置員ノ件〉，《臺灣總督府公文類纂》，第 837 冊，第 62 號，1903 年。

表 8　牛欄坑隘勇線與其警備概況表（1916 年）

管轄	警戒所	分遣所	修築（年）	廢止（年）	備註
東勢角支廳	牛欄坑	四角林	1902	1918	
			1902	1918	1918 年，改為警察官吏駐在所。
		苦苓腳	1902	1918	
		中料溪	1902	1918	1918 年，改為警察官吏駐在所。
		水龍面	1902	1918	
		楓樹崠	1902	1918	1918 年廢止，1921 年改為楓樹山警戒所。
		打狗龍	1902	1918	
		中坑坪	1902	1918	1918 年，改為警察官吏駐在所。
		中坑內	1902	1918	

資料來源：臺中廳役所，〈訓令第 13 號〉《臺中廳報》（號外），1916 年，頁 1～3。臺中州役所，〈訓令第 37 號〉《臺中州報》（第 100 號），1921 年，頁 271～272。

2. 大坪龍、二柜（櫃）隘勇線 [16]

台中地區隘勇線（二）大坪籠二櫃隘勇線 1903

臺中地區隘勇線（二）大坪籠二櫃。（鄭安晞／繪圖）

明治卅六年（1903 年）4月，官方施設「二柜隘勇線」、「牛欄坑隘勇線」的中坑坪以南，前進到大坪籠（龍），以圖控制稍來蕃 [17]，接著由石角山之後面第 38 號銃櫃，直向油竿來社之前山，接著設置隘勇線，由此處直涉渡大甲溪，

阿寸溪與麻竹坑指引路標。（鄭安晞／攝）

16　「二拒」之拒，應該為「柜」（櫃），也就是第二座或第二號隘寮的意思，原文誤植，以下皆以「柜」書。
17　臺中廳蕃務課，《臺中廳理蕃志》，頁 150～151。

以一直線方式聯絡二柜中央之隘勇線，這個線路以西的土地，盡歸官方所使用，包括有南坑、大坪龍、大坪嶺、三角龍、蕃背生山、馬下交山、新坑等溪谷[18]。現存水底寮、二柜這條線路從二柜經麻竹坑頭到稍來坪，跟牛欄坑隘勇線聯絡，大甲溪以北稱為「牛欄坑隘勇線」，以南稱為「二柜隘勇線」，並在二柜外的阿寸坑畔設立換蕃所，專司原住民綏撫事宜[19]。為此，臺中廳還大規模招募隘勇，如下：

> 隘勇線業既擴張，隘勇之數遂有增加三、四百名之議，去廿三日在臺中廳任命者，計已五十八名，其餘之隘勇則東勢角支廳檢查體格，有合格者，即行任用焉[20]。

表 9　二柜隘勇線與其警備概況表（1902 年）

管轄	隘勇監督所	隘勇監督分遣所	隘寮	修築	廢止	備註
	監督本部		7	1902		無名稱，故無法確認，以下同。
		第一監督所	3	1902		
		第二監督所	7	1902		

18　臺灣日日新報社，〈紀隘勇線〉《臺灣日日新報》（漢文版），1903年4月29日5版。
19　臺中廳蕃務課，《臺中廳理蕃志》，頁151。
20　臺灣日日新報社社，〈隘勇任命〉，《臺灣日日新報》（漢文版），1903年4月29日4版。

管轄	隘勇監督所	隘勇監督分遣所	隘寮	修築	廢止	備註
		第三監督所	7	1902		
		第四監督所	10	1902		
		第五監督所	9	1902		
		第六監督所	6	1902		
		第七監督所	5	1902		
		第八監督所	5	1902		
		第九監督所	5	1902		

資料來源：臺灣總督府，〈臺中訓令第二十一號 東勢角支廳隘勇線警察官吏及隘勇配置員ノ件〉，《臺灣總督府公文類纂》，第 837 冊，第 62 號，1903 年。

3. 臺中、南投廳聯絡線與黑田山隘勇線（舊白毛隘勇線）

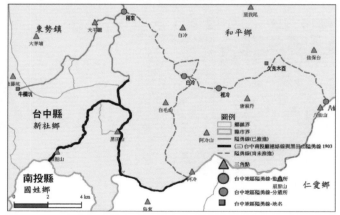

台中地區隘勇線（三）台中南投廳連絡線與黑田山隘勇線 1903

臺中地區隘勇線（三）黑田山。（鄭安晞／繪圖）

明治卅六年（1903 年）10 月，南投廳與臺中廳分別展開「隘勇線推進」，南投廳境內由埔里社支廳下的水長流開始推進，臺中廳從二柜隘勇線前方的山巔前進，在水長流溪上游無名溪口與南投線連絡，由臺中廳能勢警務課長擔任總指揮，率領部隊分成 5 小隊共 154 人，10 月 4 日開始行動。第一部隊佔領丸岡高地，第二隊開鑿第 32 號隘寮到丸岡之間的道

路，並清除路障，與第一部隊會合[21]；第三部隊佔領無名雙溪口南方約 15 丁（約 1.6 公里）的地點；第四部隊在第三部隊佔領地點北方約 15 丁（約 1.6 公里）的地點，最後與南投推進隊聯絡。接著又從二柜本部一直線連接到東方的高地黑田山修築了黑田山隘勇線，聯絡第 21 號隘寮，整個推進隘勇線於 10 月 13 日結束[22]。南投方面則是因為道路險阻，隘寮數量較多，稍微再慢一點才完工[23]。新設的南投廳埔里社支廳轄內阿冷山及臺中廳東勢角支廳轄內白毛山附近的隘勇線，全部施工約 24 天終告成，合計長達 3 餘里，獲得地域 20 方里。施工途中遭南勢群阿冷社的攻擊，對壘約一週後使其屈服歸順，共有巡查、巡查補及隘勇 5 人戰死、隘勇 3 人負傷[24]。此條隘勇線在舊「二柜隘勇線」的對面，從黑田山附近稜線，沿稜下抵水長流溪與牛坑坪溪，再沿溪畔抵達水長流，連接南投廳境內的隘勇線，相關位置請參閱表 10，原有隘勇線廢除，於明治四十年（1907 年）8 月 31 日，臺中廳告示第 116 號，設置蕃務官吏駐在所，並改變其管轄範圍[25]。

21　臺中廳蕃務課，《臺中廳理蕃志》，頁 153 ～ 154。
22　臺中廳蕃務課，《臺中廳理蕃志》，頁 154。
23　臺灣日日新報社，〈中部推進隘勇線功程〉《臺灣日日新報》，
　　1903 年 10 月 23 日 2 版。
24　陳金田譯，《日據時期原住民行政志稿》（第一卷），頁 247。
25　臺中廳役所，《臺中廳報》（第 687 號），明治 40 年 8 月 31 日，
　　頁 124。

表 10　蕃務官吏駐在所名稱位置擔任區域

所屬支廳	蕃務官吏駐在所		管轄區域
	名稱	位置	
東勢角支廳	白毛蕃務官吏駐在所	埋伏坪	收容蕃、白毛社、稍來社、阿冷社之一部分。
	一ノ谷蕃務官吏駐在所	一ノ谷	收容蕃阿冷社之一部分。

　　由於隘勇線通過溪流處，必須架設吊橋（鐵線橋），以臺中東勢角支廳巡查補沈綠鳳所發明的吊橋為例：

白毛隘勇監督所舊址。蕭永盛老師私人收藏照片。（鄭安晞／翻攝）

願社平和：臺中和平地區原住民聚落

臺中東勢角支廳白毛橋之東勢角巡查補沈綠鳳氏所思之釣
橋式之，三橋俱以鐵線十五條，及藤組立（組合）為之，
橋幅各三尺，兩側附以手欄，其構造大覺（非常）堅固，
一度（次）三十人渡之，毫無危險之虞[26]。

白毛二號橋。蕭永盛老
師私人收藏照片。（鄭
安晞／翻攝）

白毛三號橋。蕭永盛老
師私人收藏照片。（鄭
安晞／翻攝）

26　臺灣日日新報社，〈南勢溪架橋完成〉，《臺灣日日新報》（漢文
　　版），1905年11月29日2版。

4. 白毛山、中川山隘勇線（新白毛線）（1906～1907年）

台中地區隘勇線（四）白毛山中川山隘勇線 1906-1907

臺中地區隘勇線（四）白毛中川。（鄭安晞／繪圖）

明治卅八年（1905年）3月下旬左右，由於稍來社原住民繼續侵擾隘勇線附近，臺中廳以220多名警察組成討伐隊，向稍來社前進，殺了生蕃2人，焚毀多棟家屋[27]，已註定了官方繼續往內山推進隘勇線的計畫。明治卅九年（1906年）12月初，臺中廳預定自大坪籠隘勇線第41號隘寮開始，一直沿著橫龍河[28]，在橫龍河與大甲溪合流處，渡過大甲溪，由水井頭的崎腳，直達白毛山山頂，經二郎山[29]，包含阿冷社的舊社地，到南投廳下的中川山。5日開始施工，稍微變更其路線，以大坪籠線第四分遣所，直渡過橫龍河，穿過稍來社高地，在無名溪口渡大甲溪，溯其大甲溪左岸，包容白毛山，由二郎坑口附近，南折出大甲溪西岸，經其崎腳，抵達二郎山，由此包容阿冷社舊地，到達南投廳下中川山[30]。轄內包圍

27　臺灣日日新報社，〈討伐南勢番後報〉《臺灣日日新報》（漢文版），1905年3月30日4版。
28　橫龍河，即為橫流河。
29　二郎山，即為次郎山。
30　臺灣日日新報社，〈東勢角管內新隘線〉《臺灣日日新報》（漢文版），1906年12月22日2版。

新白毛隘勇線。（鄭安晞／攝）

全部白毛社及稍來、阿冷兩社各一部分之隘勇線[31]，明治四十年（1907年）1月3日完成約6里（約23.6公里）長之隘勇線[32]，相

阿冷社總頭目。蕭永盛老師私人收藏照片。（鄭安晞／翻攝）

關位置請參閱表11、12、13、圖5。幾年之後，明治四十二年（1909年）7月15日，臺中廳告示第77號，增設稍來坪蕃務官吏駐在所在稍來坪[33]。

表 11　阿冷山隘勇線與其警備概況表（1903 年）

編號	監視區	監視分區	分擔區	修築（年）	廢止（年）	備註
1	阿冷山隘勇監督所	中川山隘勇監督分遣所	第一隘寮	1903	1912	
2		直轄	第一～第二隘寮	1903	1912	改為「阿冷山蕃務官吏駐在所」，後又改為「阿冷山警察官吏駐在所」。

31　臺灣日日新報社，〈東勢角隘線竣成〉《臺灣日日新報》（漢文版），1907年1月20日2版。
32　陳金田譯，《日據時期原住民行政志稿》（第一卷），頁397。
33　臺中廳役所，《臺中廳報》（第948號），明治42年7月15日，頁118。

編號	監視區	監視分區	分擔區	修築（年）	廢止（年）	備註
3		田邊岡隘勇監督分遣所	第一～第三隘寮	1903	1912	
4		長崙山隘勇監督分遣所	第一～第二隘寮	1903	1912	
5		阿冷溪隘勇監督分遣所	第一～第四隘寮	1903	1912	
6		小坪山隘勇監督分遣所	第一～第四隘寮	1903	1912	

資料來源：臺灣總督府，〈訓令第十二號 隘勇監督所隘勇監督分淺所及隘寮ノ件〉，《臺灣總督府公文類纂》，第 1477 卷，第 96 件；南投廳役所，《南投廳報》（第 828 號），1910 年 6 月 17 日；南投廳役所，《南投廳報》（第 5 號），1912 年 8 月 25 日。

表 12　稍來隘勇線（1916 年）

管轄	警戒所	分遣所	修築（年）	廢止（年）	備註
東勢角支廳		草牌	1907	1918	
		鈴ケ森	1907	1918	
		出雲山	1907	1918	1918 年改為警察官吏駐在所，1921 年改為警戒所，位置沒變。
		水載	1907	1918	
		有桂林	1907	1918	1918 年，改為警察官吏駐在所。
		南坑	1907	1918	

管轄	警戒所	分遣所	修築（年）	廢止（年）	備註
東勢角支廳	稍來		1907	1921	1921 年改為警戒所，改為警察官吏駐在所，位置從山頂移至山腰。
		稍來坪	1907	1918	1918 年，改為警察官吏駐在所。
		崩山	1907	1918	
		欅坂	1907	1918	
		橫流溪	1907	1918	1918 年，改為警察官吏駐在所。
		砂連山	1907	1918	
		社寮	1907	1918	

資料來源：臺中廳役所，〈訓令第 13 號〉《臺中廳報》（號外），1916 年，頁 1～3，臺中廳役所，〈訓令第 4 號〉《臺中廳報》（第 638 號），1918 年，頁 35～35。台中州役所，〈訓令第 37 號〉《臺中州報》（第 100 號），1921 年，頁 271～272。

表 13 蕃務官吏駐在所名稱位置擔任區域

所屬支廳	蕃務官吏駐在所		管轄區域
	名稱	位置	
東勢角支廳	白毛蕃務官吏駐在所	埋伏坪	收容蕃、白毛社、稍來社、阿冷社之一部分
	一ノ谷蕃務官吏駐在所	一ノ谷	收容蕃、阿冷社之一部分
	稍來坪蕃務官吏駐在所	稍來坪	收容蕃、稍來社之一部分

資料來源：臺中廳役所，《臺中廳報》（第 948 號）。

　　　　　　　　　　　　　　　願社平和：臺中和平地區原住民聚落

5. 東卯山隘勇線

明治四十四年（1911年）2月間，臺中廳沒收線外蕃人的銃器，然而稍來社尚未提出，而且與比鄰北勢蕃之武榮社有親戚關係，恐其有為亂之嫌。東勢角支廳長本鄉親登東卯山，視察砲陣地，約在

臺中地區隘勇線（五）東卯山。（鄭安晞／繪圖）

8 町的地方，覓得良好砲陣地，在 5,000 米以內的地方，都可以砲擊到開墾地[34]。8 月，由本鄉宇一郎警部為隊長，森山警部為分隊長，加上巡查、隘勇、夫役總共大約 300 多人，首先沿著白冷監督所附近，渡大甲溪左岸，佔領距離東卯山約 8 町（約 0.9 公里）的地方，在最前端設置分遣所、安置砲臺與隘寮[35]。10 月 18 日，推隘部隊前進順利，東卯山隘勇線順利完成[36]，相關位置請參閱表 14。

34　臺灣日日新報社，〈臺中推廣隘線〉《臺灣日日新報》（漢文版），1911 年 8 月 11 日 2 版。
35　臺灣日日新報社，〈就臺中推隘言〉《臺灣日日新報》（漢文版），1911 年 8 月 13 日 2 版。
36　臺灣日日新報社，〈東卯山線完成〉《臺灣日日新報》（漢文版），1911 年 8 月 20 日 1 版。

東卯山。（鄭安晞／攝）

表 14　東卯山隘勇線警備表

管轄	警戒所	分遣所	修築（年）	廢止（年）	備註
東勢角支廳	久良栖		1911		改成警察官吏駐在所
		砲台	1911	1918	

資料來源：臺中廳役所，〈訓令第 13 號〉《臺中廳報》（號外），
1916 年，頁 1～3。

　　　　　　　　　　願社平和：臺中和平地區原住民聚落

6. 大甲溪隘勇線

明治四十四年（1911年）
10月5日，臺中廳繼續擴大大
甲溪上游隘勇線，雖然白毛、
阿冷兩社已經收容於隘勇線
內，也服從官方的命令，而稍
來社一部分的蕃人，在沒收槍
枝之際，遠逃於隘勇線之外，

臺中地區隘勇線（六）大
甲溪。（鄭安晞／繪圖）

也企圖聯絡北勢蕃與眉肉蕃，且不只一次企圖危害警備人員，
於是官方決定切斷稍來社與新竹廳轄內的北勢蕃以及南投廳
內的眉肉蕃之間的聯絡，故推進大甲溪上游的隘勇線。

此路線從白冷監督所，沿大甲溪左岸上溯，從區拉斯瓦
旦（クラスワタン）部落附近，往右稜線往上，跟南投埋覓
拉山高地的依田部隊聯絡，此線之完成，不僅眉肉蕃無法逞
強，對未來北勢蕃與稍來蕃亦有相當程度效果，此隘勇線分
別由桃園廳派遣警部1名、警部補2名、巡查百名，加上宜
蘭廳派遣警部1名、巡查50名前來支援，大津麟平警察總長
枝德二為前進隊長、市來半次郎為副隊長，皆在白冷隘勇監
督所本部指揮[37]。不過一直到10月底尚未完成作業[38]，最後終

37　臺灣日日新報社，〈臺中隘線前進〉《臺灣日日新報》，1911年10
　　月6日2版。
38　臺灣日日新報社，〈推廣隘線完成〉《臺灣日日新報》，1911年10
　　月26日2版。

臺灣八景入選紀念碑。（鄭安晞／攝）

願社平和：臺中和平地區原住民聚落

東卯山望大甲溪。（鄭安睎／攝）

大甲溪隘勇線往眉原隘勇線入口。（鄭安睎／攝）

於在 10 月 31 日舉行解隊式，總長為 4 里 14 町 53 間（約 17.2 公里）。臺中廳推進隘勇線後，包容伊奇哈布概（Ichihabugai）部落，藉此截斷南、北勢原住民群之中間聯絡，逼使南勢蕃孤立，作為解決北勢蕃之基礎。而且，南投隊發生 33 名之損害（戰死 14 名，其中巡查 6 名、巡查補 1 名、隘勇 7 名，負傷 19 名，其中巡查 5 名、隘勇 10 名、搬運工 4 名），與之相較，臺中隊僅病歿 12 名而已 [39]。相關位置請參閱表 15。

表 15　大甲溪隘勇線

管轄	警戒所	分遣所	修築（年）	廢止（年）	備註
東勢角支廳	白冷		1911	1918	1918 年改為警察官吏駐在所，1921 年改為警戒所。
		大甲溪	1911	1918	
		石頭營	1911	1918	
		裡冷	1911		1918 年改為警察官吏駐在所，1921 年改為警戒所。
			1911		稍來坪警察官吏駐在所。
			1911		稍來蕃人療養所。

39　宋建和譯，《日據時期原住民行政志稿》（第二卷下卷），南投：
　　臺灣省文獻委員會，1999 年，頁 227。

　　　　　　　　　　　　願社平和：臺中和平地區原住民聚落

管轄	警戒所	分遣所	修築（年）	廢止（年）	備註
東勢角支廳	白毛		1907		1916 年改為警察官吏駐在所。
			1911		白毛蕃人療養所。
			1911		白毛蕃童教育所。
			1911		白毛交易所。
		小坂原	1911	1918	
		裡得	1911	1918	
		久良栖	1911		1918 年改為警察官吏駐在所，1921 年改為警戒所。
		山腳	1911	1918	
			1911		久良栖蕃人療養所。
			1911		久良栖蕃童教育所。
			1911		久良栖交易所。
	八仙山		1911		改為警察官吏駐在所。

資料來源：臺中廳役所，〈訓令第 13 號〉《臺中廳報》（號外），1916 年，頁 1～3。臺中州役所，〈訓令第 37 號〉《臺中州報》（第 100 號），1921 年，頁 271～272。

7. 北勢蕃隘勇線（ローブゴー，老屋峨隘勇線）

　　日本官方欲平定北勢蕃八社，因此向ローブゴー（老屋峨）方面前進隘勇線，明治四十四年（1911 年）臺中廳扣押南勢原住民群槍械之際，屢次出擾於新竹廳轄內的隘勇線，對於大安溪右岸產生威脅，因此予以壓迫至左岸，並自用心、松永兩山之砲臺連續轟擊之，但北勢蕃不出來乞降，卻逃竄於射程

台中地區隘勇線（七）北勢蕃隘勇線 1912

臺中地區隘勇線（七）北勢蕃，（鄭安晞／繪圖）

之外，伺機出草。總督府欲平定之，於明治四十四年（1911年）12月，命新竹廳長家永泰吉郎、蕃務課長宇野英種、臺中廳長枝德二、蕃務課長市來半次郎等赴總督府，諮詢蕃情。日方認為需要攻取ロ─ブゴ─（老屋峨）山及其他附近之要地，砲擊武榮、ロ─ブゴ─（老屋峨）兩社之盤據地，並向雪山坑方面驅逐，迫其屈伏；因此，決定兩廳聯合編成推進隘勇線隊，新竹隊自用心山正下面前進，橫過大安溪，

日治時期南勢警察官吏駐在所宿舍。（鄭安晞／翻攝）

願社平和：臺中和平地區原住民聚落

北勢蕃歸順圖。勝山寫真館，《台灣紹介最新寫真集》。（鄭安晞／翻攝）

攀登雪山坑左岸稜線，經久保山，攻取ロ—ブゴ—（老屋峨）
山之北方高地，臺中隊即自牛欄坑第一號隘寮正下面前進，由
該溪左岸溯烏石坑溪，以其一個支隊攻略觀音山，以其主力循
該山西方山脈，占領南方高地，兩隊於此地連絡之議，並令兩
廳長提出稟申書，予以批准。此兩高地命名「眼鏡形高地」，
取地圖上形狀與眼鏡相似之的原因。

　　新竹廳長於明治四十四年（1911 年）12 月 29 日陳報
「ロ—ブゴ—（老屋峨）山方面推進隘勇線」稟申書，總督於
明治四十五年（1912 年）1 月 10 日批准。

　　一、前進理由：北勢原住民群中，斯鹿、馬那邦兩社，已
　　避難於雪山溪上游，魯普哥、武榮兩社亦遷移至魯普哥山

後方，且於烏石溪上游開闢開墾地，因砲臺之現在位置距離較遠，而致砲火威力難及，故自用心山正下面橫渡大安溪，攀登雪山溪左岸接線，包容魯普哥山，出至為烏石坑溪右岸，推進隘勇線，並為壓制各社起見，而有必要占領適當地點構築砲陣地。

二、隘勇線之延長、監督所以下之定額、預估配置人員：

隘勇線之總長

區別	前進預定線	撤收線	增加延長者
ローブゴー山	4里	1里2522間（約8.5公里）	2里1038間（約9.7公里）

監督所以下數量

區別	前進預定線	撤收線	監督所以下應增加數量
監督所	2	1	1
分遣所	15	4	11
隘寮	55	45	10
計	72	50	22

三、前進之難易：前進預定線包容ローブゴー（老屋峨）山山巔，因屬北勢蕃中最具勢力之武榮、ローブゴー（老屋峨）兩社之避難地，且為可控制北勢原住民辦各社之要衝，各社一定傾其全力反抗，徵諸其從來事跡，即可明白。職是之故，認為本次前進行動尤其困難。第一次行動

時，即占領包容自前進起點至小圓山，經ロ－ブゴ－（老屋峨）社開墾地，下至大安溪之線，並對原住民各聚落，施加猛烈威嚇砲擊，繼之，自小圓山及烏石坑之兩方面前進，占領預定之全線，料想並非難事。

四、應包容之土地面積：前進地之包容面積約二方里，由於包容地區內ロ－ブゴ－（老屋峨）社之開墾地不少，預估園地約五百甲，其餘悉為林地。

五、經費預算：九萬二千八十三圓四十錢。

部隊編成表

區別	廳長	警視	警部	警部補	巡查	巡查補	隘勇	搬運工	技術工	合計
本部	1	1	3	2	38	2	45	500	30	622
第一部隊			1	3	75	1	150	150		380
第二部隊			1	3	75	1	150	150		380
第三部隊			1	3	75	1	150	150		380
第四部隊			1	3	75	1	150	150		380
第五部隊			1	3	75	1	150	150		380
砲隊			2	1	80		20	40		64
電話隊					2		5	10		17
救護班	2	1	10	20	515	9	840	1,320	30	2,747

單位：人

臺灣總督府於兩廳行動之前，分別命令蕃務本署署長警視高塚彊為總指揮官，北蕃監視區警視永田綱明為總司令部直屬並參加臺中隊、蕃務本署警視松山隆治為架橋及其他各項監督、囑託山本新太郎為各砲陣地之指揮，並調派豬俣、山形、鈴木、井上等四囑託為砲隊長，並設總司令部於大克山頭。兩廳均由廳長親自擔任前進隊長，並命蕃務課長擔任副長，新竹隊本部設於用心山，而臺中隊本部即設於司令磺，任命部隊長以下人員，編成前進隊。2月28日，隘勇線完工，3月2日在臺中公園招魂碑前舉行解隊儀式。

擄獲 50 口徑俄國海軍三吋射砲的鈴木警部砲隊長（前）。遠藤寫真館發行《臺灣蕃地寫真帖》。（鄭安晞／翻攝）

大克山頂討伐總司令部佐久間總督等一行人。遠藤寫真館發行《臺灣蕃地寫真帖》。（鄭安晞／翻攝）

本次所設的隘勇線通過烏石坑及茅原懸崖之下，分岐為二線，

其一至觀音山背面高地為止，另一則上稜線，經三角山、神谷山、茅原砲臺達南高地，再包容魯普哥社址，進至北高地，接續於新竹廳隘勇線，其間設有監督所 3 處、分遣所 17 處、隘寮 64 處、砲臺 4 處，配置警部 1 名、警部補 3 名、巡查 76 名、巡查補 2 名、隘勇 285 名，促使敵人無可乘之隙[40]。

　　明治四十五年（1912 年）3 月，臺中廳於牛欄坑前面觀音山，新設隘勇線，總長約 3 里（約 11.7 公里），由於警備人數不足，擬讓桃園廳增派警部 1 名、警部補 2 名，巡查若干名，轉到此隘勇線服勤，也預計增添隘勇 265 名[41]。新竹、臺中兩廳，對北勢原住民群之推進隘勇線行動，經過 40 日，雖損傷 260 名（警部死亡 3 名、警部補死亡 2 名、負傷 7 名、巡查死亡 24 名、負傷 39 名、巡查補負傷 1 名、隘勇死亡 75 名、負傷 63 名、其他死亡 23 名、負傷 23 名），控制武榮、ロ－ブゴ－（老屋峨）2 社所憑恃為天險之ロ－ブゴ－（老屋峨）山，將原住民驅逐於雪山坑之背，讓其餘 6 社警惕，該 2 社最後亦衰微，繳出所有槍械乞降[42]。相關位置請參閱表 16。

40　宋建和譯，《日據時期原住民行政志稿》（第二卷下卷），頁 235 ～ 272。

41　臺灣日日新報社，〈臺中蕃務增援〉《臺灣日日新報》（漢文版），1912 年 3 月 4 日 3 版。

42　宋建和譯，《日據時期原住民行政志稿》（第二卷下卷），頁 272。

表 16 ロープゴー（老屋峨）隘勇線（1912 年）

編號	監視區	監視分區	分擔區	修築（年）	廢止（年）	備註
1		マピルハ警察官吏駐在所		1918	1920	
2		柴營分遣所		1912	1921	1920 年改依田分遣所。
3		雪山坑隘勇監督分遣所	雪山坑第一～第二隘寮	1912		改為雪山坑警察官吏駐在所，1921 年又改為警戒所。
4	第一監視區	三叉隘勇監督分遣所	三叉第一～第二隘寮	1912	1921	
5		水野隘勇監督分遣所	水野第一～第二隘寮	1912	1921	
6		久保山隘勇監督所	久保山第一～第二隘寮	1912		1918 年降為分遣所，1921 升為警戒所。
7		突稜隘勇監督分遣所	突稜第一隘寮	1912	1921	
8		鞍部隘勇監督分遣所	鞍部第一～第二隘寮	1912	1921	
9		管野隘勇監督分遣所	管野第一隘寮	1912	1918	應為菅野，誤植。（也下街以菅野代）

願社平和：臺中和平地區原住民聚落

編號	監視區	監視分區	分擔區	修築（年）	廢止（年）	備註
10		岡崎隘勇監督分遣所	岡崎第一～第二隘寮	1912	1921	
11	第一監視區	ロウブゴウ山隘勇監督分遣所	ロウブゴウ山第一～第二隘寮、連絡監視所、用心山監視所、大克山砲台	1912	1921	老屋峨分遣所。
12		北高地分遣所		1912		原為警戒所，1920 年改遠藤，1921 年又改為警戒所，1926 年改為警察官吏駐在所。
13		中央分遣所		1912	1921	
14	第二監視區	南高地分遣所		1912	1921	
15		見晴分遣所		1912	1921	
16		見返分遣所		1912	1921	
17		茅原分遣所		1912	1921	

編號	監視區	監視分區	分擔區	修築（年）	廢止（年）	備註
18		神谷山分遣所		1912		1921 年改為警戒所。
19		三角分遣所		1912	1921	
20		烏石坑分遣所		1912	1921	
21		觀音山分遣所		1912	1921	
22		烏石坑口分遣所		1918	1921	
23	第二監視區	老屋娥模範水田試作所		1919		
24		埋伏坪監督所		1912		1916 年改為警戒所，1926 年改為警察官吏駐在所。
25		橋ノ上分遣所		1912	1921	
26		坂ノ上分遣所		1912	1921	
27		尾條溪分遣所		1912	1921	
28		牛欄坑駐在所				
29		中料溪駐在所				

資料來源：新竹廳役所，〈訓令第 12 號〉，《新竹廳報》（第 11 號），1912 年 10 月 6 日，臺中廳役所，〈訓令第 4 號〉《臺中廳報》（第 638 號），1918 年，頁 35 ～ 36，〈訓令第 6 號〉《臺中廳報》（第 736 號），1915 年，頁 344 ～ 355，〈訓令第 33 號〉《臺中州報》（第 43 號），1920 年，頁 228 ～ 229。臺中州役所，〈訓令第 37 號〉《臺中州報》（第 100 號），1921 年，頁 271 ～ 272。

大克山頂野砲二門山砲四門。遠藤寫真館發行《臺灣蕃地寫真帖》。（鄭安晞／翻攝）

8. サラマオ（Saramao）隘勇線

明治四十五年（1912 年）4 月 18 日，臺灣總督府批准南投廳推進白狗隘勇線，計畫以躑躅岡為起點，新設經過馬卡那奇社（マカナギ）高地，繞其西北稜線，至莎拉毛（サラマオ）鞍部的「袋型隘勇線」。推進計畫中有六個部隊，加上砲隊與輸送部隊，本部設於躑躅岡，以南投廳長石橋亨為前進部隊長，長倉用貞蕃務課長為副長，蕃務本署高塚警視亦前往本部

臺中地區隘勇線（八）Saramao。（鄭安晞／繪圖）

視察[43]。此隘勇線前進隊以警部 4 名（9 名）、警部補 13 名（14名）、巡查 350 名、巡查補 30 名、隘勇 590 名、醫員 2 名、囑託 2 名、看護人 5 名、雇員 1 名、電話技工 2 名、土木工 2名及搬運工 890 名，約 2,000 多名，編成前進隊，並分為六個部隊，砲隊、運輸隊、電話班級救護班[44]。前進部隊如表 17。

表 17　白狗隘勇線前進部隊一覽表

前進隊長	石橋亨廳長		
前進副長	長倉用貞警部		
	部隊長	分隊長	分隊長
第一（依田部隊）	依田盛雄警部	梶原正一警部補	藏原仁一警部補
第二（伊藤部隊）	伊藤泰作警部	屋嘉比柴清警部補	佐佐木龍治警部補
第三（仲本部隊）	仲本政敍警部	河野通好警部補	菅原甚吉警部補
第四（進藤部隊）	近藤小次郎警部	松本九一警部補	竹中清太警部補
第五（內田部隊）	內田教四郎警部	森喜太郎警部補	石川周藏警部補

43　臺灣日日新報社，〈白狗方面隘勇線前進開始〉，《臺灣日日新報》，1912 年 4 月 27 日 2 版。

44　宋建和譯，《日據時期原住民行政志稿》（第二卷下卷），頁273，《臺灣日日新報》所書寫的人數不同，並列之。

願社平和：臺中和平地區原住民聚落

	部隊長	分隊長	分隊長
第六 （大岡部隊）	大岡義詔警部	大岡義詔 警部	吉田德次警部補
砲隊	猪股宗治警部	馬場要次郎 警部補	
輸送隊	阪岡茂七郎警部	長崎重次郎 警部補	安則三之助警部補

資料來源：臺灣日日新報社，〈白狗方面隘勇線前進開始〉《臺灣日日新報》，1912 年 4 月 27 日 2 版。

　　此隘勇線意圖切斷白狗群與馬烈坡（Mareba）、西卡要（Shikayawu）與莎拉毛（Saramao）間的聯絡。在推進隘勇線時，除了興築新隘勇線外，當時也沒收了原住民的槍枝，所有前進隊於 6 月 5 日在埔里社舉行解隊式[45]。

　　此次隘勇線推進後，依照管轄區域設有三條隘勇線，最北的「サラマオ隘勇線」連接了今日臺中市和平區轄內的「シカヤウ隘勇線」。「サラマオ隘勇線」位於今日力行產業道路旁，在佳陽鞍部附近，從更孟山附近陡下北港溪上游，在合流附近接上「マリコワン隘勇線」後，「マリコワン隘勇線」與「マレッバ隘勇線」分為上、下兩條隘勇線，也就是所謂的「袋型隘勇線」，最後接回「白狗監督所」。「サラマオ隘勇線」

45　宋建和譯，《日據時期原住民行政志稿》（第二卷下卷），頁 295。

隘勇線為「白狗推進隘勇線（1912 年）」向前推進時，往北延伸
之隘勇線，位置請參閱表 18。

表 18 サラマオ、シカヤウ隘勇線與其警備概況表

名稱	編號	警備單位	成立年代	廢止年代	備註
サラマオ隘勇線	1	石楠木分遣所	1912	1921	
	2	サラマオ監督所	1912	1921	1916 年改警戒所。
	3	サラマオ分遣所	1912		1921 年改為警察官吏駐在所，後廢除，1925 年再設。
	4	樫木分遣所	1912	1921	南投境內。
サラマオ隘勇線	5	枡木坂分遣所	1912	1921	又名枡坂，位於南投境內。
	6	萩岡分遣所	1912	1921	位於南投境內。
	7	鞍部分遣所	1912	1921	
	8	吹上分遣所	1912	1921	
	9	長坂分遣所	1912	1921	又名石板，1921 年改為警察官吏駐在所。
	10	大岡方遣所	1912	1921	位於南投境內。
	11	合流點分遣所	1912	1921	位於南投境內。
	12	突角分遣所	1912	1921	位於南投境內。

願社平和：臺中和平地區原住民聚落

名稱	編號	警備單位	成立年代	廢止年代	備註
シカヤウ隘勇線	13	岩上分遣所	1912	1921	
	14	對雪分遣所	1912	1921	
	15	長坂警察官吏駐在所	1912	1921	1920 年改為警察官吏駐在所。
	16	池崙警察官吏駐在所	1912	1921	1920 年改為警察官吏駐在所。
	17	歧路警察官吏駐在所	1912	1921	1920 年改為警察官吏駐在所。
	18	枘岡警察官吏駐在所	1912		1920 年改為警察官吏駐在所。
	19	太酒保警察官吏駐在所	1912		1920 改為警察官吏駐在所。
シカヤウ隘勇線	20	シカヤウ警察官吏駐在所	1912		原警戒所，1920 年改為警察官吏駐在所。
	21	シオヤウ分遣所	1912	1921	紅葉。
	22	シカヤウ分遣所	1912	1921	

資料來源：南投廳役所，《南投廳報》（第 963 號），「訓令第三號」、「第四號別冊」，1912 年 2 月 15 日，〈訓令第 33 號〉《臺中州報》（第 43 號），1920 年，頁 228 ～ 229，〈訓令第 4 號〉《臺中州報》（第 49 號），1921 年，頁 16 ～ 17。〈訓令第 27 號〉《臺中州報》（第 994 號），1925 年，頁 517。

臺中地區主要的推進隘勇線有八次，最早為明治卅五年（1902 年），最晚為明治四十五年（1912 年），包括有：

一、牛欄坑隘勇線（1902 年），明治卅五年（1902 年）11 月修築，相關長度不明。

二、二柜隘勇線（1903 年），明治卅六年（1903 年）4 月施設，長度不明。

三、臺中、南投廳聯絡線與黑田山隘勇線（舊白毛隘勇線）（1903 年），明治卅六年（1903 年）10 月 4 日開始行動，10 月 13 日結束，約 3 里長（約 11.8 公里）。

四、白毛山、中川山隘勇線（新白毛線）（1906 年），明治卅九年（1906 年）12 月初開始修築，明治四十年（1907 年）1 月 3 日完成約 6 里（約 23.6 公里）長之隘勇線。

五、東卯山隘勇線（1911 年），明治四十四年（1911 年）2 月間修築。

六、大甲溪隘勇線（1911 年），明治四十四年（1911 年）10 月 5 日開始修築，終於在 10 月 31 日舉行解隊式，總長為 4 里 14 町 53 間（約 17.2 公里）。

七、北勢蕃隘勇線（ロ－ブゴ－隘勇線）（1912 年），

明治四十四年（1911 年）12 月批准，隔年 1 月動工，2 月 28 日隘勇線完工，3 月 2 日在臺中公園招魂碑前舉行解隊儀式。

八、シカヤウ、サラマオ（Saramao）隘勇線（1912 年），隘線長度不明。

臺中地區的隘勇線從大正六年（1917 年）開始，由於臺中廳管內南勢蕃方面的蕃情，經綏撫後，漸漸平穩，居住在稍來、白毛、久良栖等地方的蕃人接受指導啟發，並以久良栖、シラック（Shirakku）社，為模範蕃村，更計畫申請撤廢 7 里（約 27.5 公里）隘勇線，然後設置九個駐在所，只需要巡查 18 名、巡查補 3 名，隘勇 53 名，理蕃費用節省很多[46]。昭和元年（1926 年）10 月，臺中州方面，由新竹州轄區至東勢郡雪山坑白冷之間的鐵絲網已全部拆除[47]。

臺中地區與其他地區比較起來，隘勇線推進次數相對較少的區域之一（除臺東、高雄後來所設置的警備線），由於隘勇線的推進，可以獲得很多許多森林資源，幫助往後的八仙山林場設置。

46　臺灣日日新報社，〈臺中理蕃成功　隘勇線の撤廢〉《臺灣日日新報》，1917 年 6 月 17 日 2 版。
47　吳萬煌譯譯，《日據時期原住民行政志稿》（第四卷），頁 823。

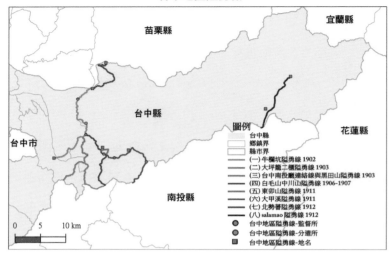

台中地區隘勇線全圖。（鄭安晞／繪圖）

（二）隘路、大甲溪道路到中部橫貫公路

　　「大甲溪道路」為日治時期所開鑿的一條「理蕃道路」，目前絕大部分的古道路段都被現今的中部橫貫公路西段所取代，「九二一地震」後谷關至梨山的道路亦被沖毀，雖然古道大部分被取代，仍然留下許多重要的文化遺址，如日治時期的明治溫泉、蕃童教育所、白冷圳回水灌溉工程竣工紀念碑、臺車道、吊橋等。

　　「大甲溪道路」前身為「白冷隘勇線」的巡視隘路，開鑿於明治四十四年（1911 年）2 月 23 日，以白冷監督所為起點，往大甲溪上溯，抵達シウワンタイム（Shiwuwantaimu），

隘路。（鄭安晞／攝）

全長約 4 里（約 16 公里）[48]。大正三年（1914 年），由於原有舊隘路異常狹隘，臺中廳計畫拓寬東勢角至八仙山的道路，方便日後的伐木事業，最後由臺灣總督府營林局開鑿完成[49]，不過道路仍然止於久良栖（今臺中市和平區松鶴里）。

　　大正十一年（1922 年）9 月，由臺中州東勢與能高兩郡的警察課統籌編制搜索部隊，著手開鑿大甲溪警備道路，但是工事期間遇到不良天候、寒氣、險惡地形等狀況，也造成十多名工人死傷，竣工日期比原預計的時間還晚，東勢郡的開鑿隊在大正十二年（1923 年）3 月初、能高郡的開鑿隊在 3

48　臺灣日日新報社，〈臺中搜索隊近情〉《臺灣日日新報》，1911 年 2 月 26 日 3 版。
49　臺灣日日新報社，〈八仙山道路開鑿〉《臺灣日日新報》（漢文版），1914 年 12 月 7 日 3 版。

白冷圳取水塔。（鄭安睎／攝）

白冷圳回水灌溉工程竣工紀念碑。（鄭安睎／攝）

願社平和：臺中和平地區原住民聚落

梨山一景。（鄭安晞／攝）

月 31 日才漸次完工，同時沿途新設置七個警戒所，已完工明治、馬崙、烏來、小澤臺四個警戒所，殘留的工事不久也很快的完工，完工後對於サラマオ（Saramao、今臺中市和平區梨山）原住民殘眾的歸順，會有很大效果[50]。臺中州轄內新設多個警戒所，包括：東勢郡有明治、馬崙、烏來、小澤台，能高郡則有美壽潭、達盤、佳陽、氣合等[51]，後改為駐在所。

50　臺灣日日新報社，〈臺中蕃地道路開鑿　殆んど完成〉《臺灣日日新報》，1923 年 4 月 6 日 7 版。
51　吳萬煌譯譯，《日據時期原住民行政志稿》（第四卷），頁 406。

表 19 大甲溪道路開鑿一覽表

路名	起訖點	總長	寬度	開工日期、完工日期	工程費
大甲溪	臺中州東勢郡良久栖至同州能高郡希佳堯。	16里28町	四尺至六尺	大正11年9月開工，大正12年3月完工。	198113圓

資料來源：吳萬煌，《日據時期原住民行政志稿》（第四卷），頁401。

表 20 大甲溪道路相對里程表

久良栖	明治	馬崙	烏來	小澤臺	ピスタン	達盤	佳陽	サラマオ	太久保
	明治								
6.76		馬崙							
13.52	6.76		烏來						
24.10	17.34	10.58		小澤臺					
28.57	21.81	15.05	4.47		ピスタン				
38.06	31.30	24.54	13.96	9.49		達盤			
44.82	38.06	31.30	20.72	16.25	6.76		佳陽		
49.18	42.42	35.66	25.08	20.61	11.12	4.36		サラマオ	
55.29	48.53	41.77	31.19	26.72	17.23	10.47	6.11		太久保
62.71	55.95	49.19	38.61	34.14	24.65	17.89	13.53	7.42	

資料出處：臺灣日日新報社，《臺灣市街庄便覽》（1932年），距離已換成公制單位。

　　「大甲溪道路」沿用做為中部橫貫公路東勢至梨山段的計畫，始於民國四十三年（1954年）；在此之前，國民政府已勘查過南、北兩線。南線計畫由東部花蓮銅門為端點，經能高越、天

池、松原、尾上、盧山至霧社[52]。北線則計畫由花蓮太魯閣為起點，經過天祥、晴崗、追分至霧社[53]。雖然在民國四十一年（1952 年），因北線經濟價值較大而決議採用北線做為中橫公路，卻因經費龐大，工程困難，未能順利興工。民國四十三年（1954 年），軍援軍用道路計畫內，提出了臺中至花蓮及臺中至羅東兩條新路線，並於同年由公路局分別就兩條路線進行踏查[54]。

臺中花蓮線之西段即是規劃依大甲溪道路之路線修築，全長 231.3 公里，由臺中經豐原，溯大甲溪而上，過東勢、谷關、德基經佳陽、梨山、越北合歡山埡口，西出關原、太魯閣。其中臺中至東勢長 26.2 公里的路段已是現有省道。自東勢開始也已有道路延伸進大甲溪峽谷，傍溪左岸，經谷關，上抵德基；唯此路段平均路基僅寬 3.5 公尺，包括橋樑、駁坎等仍需改建，尤其是谷關至德基段，因地質層理外向傾斜，容易崩落，需設法預防。德基到梨山段，長達 22.6 公里，此路段雖為新闢路段，但該處已有人行之步道，推測即為大甲溪警備道之一部分，因此新路即順人行道而開。梨山至合歡埡口段長 24 公里，公路預計在此由大甲溪翻越一山脊至東側之合歡溪流域，

52　臺灣省公路局編，《東西橫貫公路工程專輯》，臺北：臺灣省公路局，1960，頁 12 ～ 13。
53　臺灣省公路局編，《東西橫貫公路工程專輯》，頁 7 ～ 8。
54　臺灣省公路局編，《東西橫貫公路工程專輯》，頁 20。

再順合歡溪上行，後過合歡溪，沿畢祿溪繞達此路線最高點之北合歡啞口[55]。

由於臺中花蓮線與原先決議之北線在東段的部分路線大致相同，因此需要比較的路段僅剩要採北線由南投縣霧社亦或是由臺中市東勢區作為西段之路線。在工程方面，北線受限於路段之海拔高度較高，易遇上雪期，增加施工及養路上的困難；經濟價值方面，由於臺中花蓮線因緊鄰大甲溪及途經八仙山林場，在水利及森林資源開發方面佔有明顯的優勢，因此於民國四十四年（1955 年）3 月決議採取臺中花蓮線作為中部橫貫公路[56]。

民國四十五年（1956 年）7 月 7 日於花蓮太魯閣舉行了中部橫貫公路開工破土典禮，由行政院長俞鴻鈞及美國大使藍欽主持，參加者有輔導會主任蔣經國、美國安全分署署長、省政府主席嚴家淦、交通部部長袁守謙及懷特公司總經理狄布賽等百餘人[57]。工程總計耗費 3 億 6000 萬餘元[58]，工程人力來源包含了榮民工程總隊隊員、陸軍步兵、軍事監犯、職訓總隊隊員、社會失業青年、暑期學生戰鬥訓練青年工程隊、公民營廠商等[59]。

55　臺灣省公路局編，《東西橫貫公路工程專輯》，頁 21。
56　臺灣省公路局編，《東西橫貫公路工程專輯》，頁 24 ～ 25。
57　臺灣省公路局編，《東西橫貫公路工程專輯》，頁 392。
58　臺灣省公路局編，《東西橫貫公路工程專輯》，頁 188。
59　臺灣省公路局編，《東西橫貫公路工程專輯》，頁 76 ～ 77。

八仙山山頂三角點。（鄭
安晞／攝）

　　民國四十六年（1957 年）11 月 6 日，主線西段德基至
佳陽段通車；同年 12 月 7 日，主線西段佳陽至梨山段通車；
四十七年（1958 年）6 月 14 日，主線西段梨山至合歡溪段通
車。臺灣省公路局於四十七年（1958 年）2 月 20 日開始，從

谷關至德基開始行駛客運班車；11 月 15 日，正式行駛由谷關至梨山之班車 [60]，每日暫定往返 4 班次，由谷關至梨山第一班客車上午 9 時開，10 時 58 分到德基，中午 12 時 7 分到梨山，第二班下午 1 時開，2 時 58 分到德基，4 時 7 分到梨山，由梨山至谷關，第一班客車上午 8 時 45 分開，10 時到德基，11 時 49 分到谷關。第二班下午 1 時 40 分開，3 時到德基，4 時 49 分到谷關，全程行駛時間上行 3 時 7 分，下行 3 時 4 分，票價全程新臺幣 14 元，梨山至德基 6 元，德基至谷關 8 元 [61]。民國四十九年（1960 年）5 月 9 日，中部橫貫公路於谷關舉行正式通車典禮，由省府主席周至柔、輔導會主任委員蔣經國聯合主持，副總統陳誠剪綵，參加中外來賓數百人 [62]。

中橫公路興建完成之後，由於部分路段地質不穩，因此在豪雨颱風過後，不時傳出道路坍方中斷之消息。為維持道路順暢、增加道路安全性以發展觀光，公路局在民國五十年到五十五年（1961 ～ 1966 年）之間，進行全線改善工程，改善的重點包括將部份路段拓寬為雙車道，及施作瀝青混凝土路面。由於中橫的改善，連帶的影響了公路沿途的觀光發展，西

60　臺灣省公路局編，《東西橫貫公路工程專輯》，頁 394 ～ 396。
61　聯合報社，〈橫貫路谷關梨山段　昨上午正式通車　每日往返四次票價十四元　蜿蜒崇山峻嶺間風光壯麗〉《聯合報》，臺北：聯合報，1958 年 11 月 16 日 3 版。
62　臺灣省公路局編，《東西橫貫公路工程專輯》，臺北市 ：臺灣省公路局，1960 年，頁 397。

　　　　　　　　　　　　願社平和：臺中和平地區原住民聚落

中部橫貫公路宜蘭支線一景。（鄭安晞／攝）

端的梨山、谷關都曾是相當熱門的遊憩勝地 [63]。

　　民國八十八年（1999年），「九二一大地震」重創了中橫，尤其是谷關到德基路段最為嚴重，有百分之八十的路基都已流失，土石坍方數量超過 120 萬立方公尺 [64]。工程人員是以當年開鑿中橫公路的方式、以炸藥開挖，搶出一條路來 [65]，但搶修

63　交通部公路總局網頁，〈中橫開通 50 周年公路總局建設紀要〉：
　　http://www.thb.gov.tw/TM/Menus/Menu08/ccih/New990507.aspx
64　聯合報社，〈走趟中橫殘破路 目睹土石砸傷人 谷關德基段 是集集
　　大震中受損最重、唯一尚未搶通的公路 領路的工務段長血濺半途緊
　　急送醫〉《聯合報》，臺北：聯合報，1999 年 12 月 5 日 6 版。
65　聯合報社，〈中橫 谷關德基段 通車沒把握 耶誕節可搶通 暫不開
　　放一般通行醫〉《聯合報》，臺北：聯合報，1999 年 11 月 22 日 6 版。

了一年仍是未能全線通車。一年後的 5 月 17 日，中部又出現中級地震，再一次造成谷關德基路段嚴重受損。「九二一地震」後，近年來，花了 25 億元新築的邊坡工程，因這次「五一七大地震」，又多被震毀了[66]。針對如此狀況，臺中縣長廖永來擬議中橫部分路段封山，讓各界在中橫開通近四十年後，重新審思中橫的定位。只是夾雜其間的生態保育、原住民生計、觀光產業等立場糾葛，導致地方反對聲浪高漲[67]。5 月 26 日由公路局召開的中部橫貫公路修復公聽會中，正反兩方雖對是否修復中橫的意見相持不下，但仍是達成了該年颱風季節結束前暫停搶修中橫 37 公里至 62 公里路段；決議中橫長遠的修復問題須於 6 個月內提出評估報告[68]。同年 11 月 17 日，由立委徐中雄邀交通部公路局、民眾實地勘查，並舉辦公聽會，與會者一致要求儘速搶通中橫，最後決議請公路局成立專責單位規劃執行[69]。隔年四月開始，搶修工程開始進行，原先預計三個月能

66　聯合報社，〈中橫，該存該廢？ 搶修花了 25 億 餘震一來邊坡又毀 立委官員會勘 建議速建替代道路〉《聯合報》，臺北：聯合報，2000 年 5 月 25 日 8 版。

67　聯合報社，〈中橫該不該封山？ 臺中縣長廖永來提出 交通部二十六日開會討論〉《聯合報》，臺北：聯合報，2000 年 5 月 23 日 19 版。

68　聯合報社，〈中橫暫停搶修 颱風季後再說 公聽會上 廖永來建議封山 長遠修復問題 半年內提報告〉《聯合報》，臺北：聯合報，2000 年 5 月 27 日 6 版。

69　聯合報社，〈中橫坍方搶修期 97 年通車 公聽會反映谷關至梨山居民心聲 責成公路局規劃〉《聯合報》，臺北：聯合報，2000 年 11 月 17 日 20 版。

完工 [70]，但一直到民國九十一年（2002 年）7 月，仍是管制封閉的狀態，其間僅因投票因素，短暫開放通車 [71]。民國 92 年（2003 年）3 月，上谷關至德基路段重建工程開始實施交通管制，早上 5 時 30 分至 7 時、下午 6 時至 7 時，僅開放當地居民及公務車輛通行 [72]。

民國九十三年（2004 年），「七二水災」又再一次給了中橫重重的打擊，除了道路，包括沿線的發電廠都受到災害波及 [73]。於災後 1 個月的 8 月 6 日，行政院長游錫堃宣布中橫上谷關至德基段暫緩復建，使得原本預定在 7 月中舉行上谷關到德基路段的開通典禮，因「七二水災」將一切都沖毀了 [74]。中橫目前的現況仍是無法通車，僅開放當地居民通行，由於該處的地質狀況仍差，颱風豪雨來臨時，常有災情傳出。

目前改為中橫青山谷關段改為臨時便道，已經著手小規模通行，由前倒車方式通過易崩塌區。

70　聯合報社，〈15 日起　搶修中橫谷關德基段　預計三個月完工　僅供工程車輛行駛〉《聯合報》，臺北：聯合報，2001 年 4 月 3 日 18 版。
71　聯合報社，〈方便投票　中橫谷關至德基段開放暫通車〉《聯合報》，臺北：聯合報，2002 年 6 月 9 日 18 版。
72　聯合報社，〈中橫重建　25 日起交管　上谷關至德基段　早晚開放讓居民及公務車輛通行〉《聯合報》，臺北：聯合報，2003 年 3 月 19 日 18 版。
73　聯合報社，〈電廠浩劫　德基、青山不棄廠　天輪一個月復電　臺電董事長等徒步勘災　電廠廠長說「只能以慘字形容」河床若不加強清除汙泥　將仍處於危機當中〉《聯合報》，臺北：聯合報，2004 年 7 月 6 日 A4 版。
74　聯合報社，〈中橫上谷關至德基段　確定緩建〉《聯合報》，臺北：聯合報，2004 年 8 月 6 日 A1 版。

姓名：古樹枝 Bihaw Suyan

族別：泰雅

性別：男

出生年：昭和十年（1935 年）

年齡：77 歲

居住部落：臺中市和平區南勢部落

訪問者：陳威潭

訪談時間：2012 年 10 月 22 日

訪談地點：臺中市和平區南勢部落

　　古樹枝先生於昭和十年（1935 年）生，居住在南勢村，泰雅族名是 Bihaw Suyan，日本名字是松田正義（まつた よしお）。他讀過日本時代的小學，由於其祖母跛腳，小時候會跟祖父、祖母走日本時代開的路到谷關泡溫泉，當時泡溫泉的地方還蓋了一間屋子讓大家可以在裡面洗。據他說谷關那邊的路並不是現在中橫的路線，而是在對面，雖然已經有公車在行駛，但由於班次很少，因此他們都是用走的。

　　有關作為中橫公路前身的大甲溪道路，他記得是日本人開的，且沒有印象有原住民參與開路，他在民國四十四年（1955 年）就讀臺中師範學校時，當時中橫還沒開路，還是日治時代開的路，車子也只能通到谷關，他有位同學住在梨山，他曾兩人一起從谷關走到梨山，共花了兩天一夜，中間在

達見，也就是現在德基水庫的地方過了一夜。當時像是環山那邊的原住民會到東勢做買賣，他們下到東勢需要花兩天，中間會在達見或谷關休息，來回總共要三、四天。他以前到東勢則是要花兩天，因為班車很少，所以得在東勢住一晚，另外也會到天冷做買賣，他記得過年的時候他們都會到天冷採買。當時天冷已經有平地人在做生意，買的東西幾乎都是食物雜貨，他們也會拿一些山上的獸皮、米酒、肉類下來賣。

他們剛搬到現在的南勢村時，是住在現在的教會上面，當時日本人還在村裡蓋了神社、公共浴室，還有公共集會空間

環山派出所。（鄭安晞／攝）

等，此外他對於派出所、衛生室、學校的位置也都很清楚，還記得小學三年級的時候臺灣就光復了。當時他們會種旱稻、番薯、芋頭，且收割的稻子還要交一部份給日本人。村子裡有一個很兇的巡佐，因為當時村裡的男孩子會上山打獵，巡佐覺得這樣不好，因此常常在早上會集合年輕跟中年的男生到派出所附近的公共操場集合訓話。據他說南勢村在他們搬到這邊之前並沒有人居住，這裡是日治時代才整理出來的。當初在這裡蓋房子的時候是部落年輕人一起蓋的，而房子的樣式則是日本人的設計。

古樹枝小時候看過部落頭目，他記得他們是姓賴，原住民名字是叫 Buyon Shat，是從白毛社過來的人，現在也還有後代，印象中小時候的古樹枝見到的頭目已經是七十多歲，看起來相當地有年紀。

現在居住在稍來坪的人，則是從自由村埋伏坪一帶遷過來的，聽說是因為跟原先居住地方的派出所起了衝突，因此稍來坪的人跟他們比較沒有關係，而是跟埋伏坪那邊的人有親戚關係，古樹枝他們則是跟白毛社的比較有關係。他不記得日治時代稍來坪有沒有派出所，但是記得他的日本老師跟擔任警察的先生以前是住在稍來坪，而當時稍來坪的人都是到南勢村的國小一起上課。過年時，都要由老師帶領他們到神社做參拜，平常也會有派出所的所長帶全部落的人到神社去做參拜。

談到白冷發電廠，他說以前白冷這個地方就住了比較多的日本人，發電廠也是日治時代才開發。當時發電都是送到山下，當時山上的部落並沒有供電。戰後，因為發電廠內有許多機器設備，就有一些平地人進去拆裡面的機具出來賣。

大甲溪道路及裡冷部落遷移過程

姓名：陳阿生 Salaw Yumin
族別：泰雅
性別：男
出生年：昭和 17 年（1942 年）
年齡：70 歲
居住部落：臺中市和平區裡冷部落
訪問者：陳威潭、林嘉麟
訪談時間：2012 年 10 月 21 日
訪談地點：臺中市和平區裡冷部落

　　陳阿生生於昭和十七年（1942 年），泰雅族名字為 Salaw Yumin，父親叫 Yumin Visu，是裡冷部落的人，他從父親那邊聽到了自己家族從原鄉遷徙的歷史。在阿冷山南面的山稜下有一大盆地就是他的原鄉，陳阿生聽父親說當時原鄉部落住了三百多人，而爺爺 Visu 是部落的頭目。在陳阿生的父親十六、七歲的時候，頭目 Visu 召集了部落的年輕人，由於部落人口越來越多，為了大家的生存，必須往外找新天地，頭目

陳阿生。（鄭安晞／攝）

要年輕人往後去打獵的時候，順便找找哪邊有適合的居地，若找到了不需告訴全部落，可以帶著自己的家族搬過去。

當時陳阿生的家族總共有八戶，由於陳阿生的父親當時年輕，頭腦又好，因此打獵都是由他的父親領頭。最後父親找到了位在阿冷山西邊稜線的白毛山，去探了幾次之後，並跟爺爺討論過，陳阿生的父親最後從白毛山下到大甲溪，並且沿著大甲溪往上游探得了裡冷溪，一路上溪中魚類豐富，發現了現在裡冷部落這塊地，當時這邊並無人居住，生滿雜木，土地肥沃，適合耕種，也因此陳阿生的父親成為裡冷部落的發現者。

當陳阿生的父親把自己的家族遷到現在的裡冷之後，他替大甲溪取了名字叫 Diryon Dimagi，Diryon 的意思是溪，Dimagi 的意思則是舌頭，之所以這麼取是因為民以食為天，而水源是部落維生很重要的資源，因此以舌頭為名。另外關於裡冷（Lila）這個名字的來由，陳阿生也曾聽父親說過。陳阿

生的大哥曾讀過日本的國小，當時的國小是在松鶴部落，位置大約是在現在松鶴部落世界展望會的東邊，那個地方除了國小還有派出所，但現在已被蓋上了其他房子，沒有留下遺跡。關於裡冷部落的派出所，陳阿生記得就是在現在社區發展協會的位置。

有關大甲溪道路，陳阿生聽父親說，當時父親帶領八戶人家搬到裡冷，日本人也知道這邊有一個聚落，後來在開路的時候就在這邊設了一個派出所，派駐在這裡的警察也是原住民，叫做 Kulas，當時由派出所指導族人種水田，陳阿生的爸爸當時就開墾了許多水田分配給族人。中橫還沒開之前，山上的人都得走路到東勢做買賣，包括梨山、松茂、環山部落的人都是，光是下山就得走兩、三天，他說大家走下山的這條道路是原住民以前為了下到東勢而自己開鑿出來的。他小時候在中橫還沒蓋之前，這條道路很小條，是石子路，每次有卡車開過去都會塵土飛揚，

日治時期環山部落青年的跳舞。鄭安睎私人收藏照片。（鄭安睎／翻攝）

戰後他也還是走這條石子路到松鶴去念小學。

　　他說真耶穌教會在民國卅八年（1949 年）進入部落，當時陳阿生的父親大約五十歲左右，成為這個部落的頭目，由他開始接受之後，慢慢地部落的其他人也開始接受真耶穌教會。

（三）縱貫南北的蕃地道路

　　卑亞南古道為日治時期所修築的理蕃道路之一，修築於大正七年（1918 年），完工於大正十年（1921 年），和其他理蕃道路不同，此道路最大的特點是幾乎呈現「南北向」的道路系統；絕大多數的理蕃道路多為東西向，此古道是六條南北向道路（巴福越嶺古道、霞喀羅古道、北坑溪古道、卑亞南古道、霧社卡社道路、中の線古道）之一，為臺灣山區南北交通的軸幹與東西向的理蕃道路，相互形成經緯，交織成網狀交通網。

　　卑亞南古道全長約 120 公里，從今日宜蘭縣大同鄉濁水至南投縣仁愛鄉霧社，也是今日「中橫宜蘭支線」的前身。由於泰雅族的分佈很廣、遷移領域遍及北臺灣山區；日治時期為了方便交通與管理泰雅族的原住民，包括今日宜蘭縣境與和平鄉境的泰雅族、南投縣境的賽德克族與泰雅族，於是修築這條「理蕃道路」來控制部落、推動集團移住。因此，這條古道可說是日本人血腥控制泰雅族的重要道路，也是泰雅族「淚之

路」的寫照。

　　卑亞南古道的開鑿脈絡，主要是明治四十三年（1910 年）
4 月，臺灣總督府為了控制泰雅族「溪頭群」，曾於 4 月 5 日起，
從宜蘭方面開鑿了 4 里（約 16 公里）的道路，南投方面 5 里（約
20 公里），共計 9 里（約 36 公里），計畫繼續延長約 20 里（約
80 公里），預計隔年 2 月 25 日繼續開鑿，可方便貨物搬運，
但擔心高岡原住民的阻撓，因而延長了工期[75]。此段短短的道
路開鑿，應為宜蘭境內「卑亞南道路」的前身。

　　大正六年（1917 年）10 月 4 日，官方計畫從シカヤウ
（Shikayawu）警戒所，開鑿到シカヤウ（Shikayawu）駐在所
間約 5 里（約 20 公里）的道路，沿途計畫設有池畬、歧路、
椚岡、太久保四個駐在所，當時預算 6,820 圓[76]。日治大正七
年（1918 年）1 月 20 日起，官方為開拓蕃地，因此試圖聯絡
舊宜蘭與南投兩廳下蕃地，預計由溪頭群蕃地，上溯濁水溪，
到南投廳下的莎拉毛社（Saramao），最後抵達霧社，由臺灣
總督府財津久平技師偕同宜蘭廳中田警務課長，以一個星期的
時間調查預定路線[77]。

75　臺灣日日新報社，〈雞頭蕃社道路開鑿〉，《臺灣日日新報》（漢
　　文版），1910 年 4 月 20 日。
76　南投廳郡役所，《南投廳行政事務管內概況報告書》（全），南投：
　　南投廳郡役所，1918 年，頁 97。
77　臺灣日日新報社，〈調查宜蘭路程〉，《臺灣日日新報》（漢文版），
　　1918 年 1 月 20 日 5 版。

大正七年 (1918 年)3 月 3 日，從シカヤウ (Shikayawu) 警戒所到シカヤウ (Shikayawu) 駐在所的道路，正式開工，同月 23 日竣工，由當時霧社支廳長負責開鑿[78]，此為現今梨山往環山道路前身，相關距離位置請參表 21、表 22。

表 21　卑亞南道路相對里程表

濁水	バヌン	烏帽子山	ルモアン	カラブ	シキクン	メラ	エキギウ溪	突稜	ビヤナン鞍部
濁水									
2.29	バヌン								
8.29	6.00	烏帽子山							
15.49	13.20	7.20	ルモアン						
18.65	16.36	10.36	3.16	カラブ					
22.25	19.96	13.96	6.76	3.60	シキクン				
28.79	26.50	20.50	13.30	10.14	6.54	メラ			
34.03	31.74	25.74	18.54	15.38	11.78	5.24	エキギウ溪		
37.74	35.45	29.45	22.25	19.09	15.49	8.95	3.71	突稜	
39.81	37.52	31.52	24.32	21.16	17.56	11.02	5.78	2.07	ビヤナン鞍部

資料出處：臺灣日日新報社，《臺灣市街庄便覽》（1932 年），距離已換成公制單位。

78　南投廳郡役所，《南投廳行政事務管內概況報告書》（全），頁 97。

願社平和：臺中和平地區原住民聚落

表 22 卑亞南道路相對里程表

椆岡					
4.47	太久保				
9.81	5.34	平岩山			
14.94	10.47	5.13	志良節		
20.94	16.47	11.13	6.00	有勝	
25.52	21.05	15.71	10.58	4.58	ビヤナン鞍部 (思源埡口)

資料出處：臺灣日日新報社，《臺灣市街庄便覽》（1932 年），距離已換成公制單位。

日治大正九年（1920 年）繼續開工，逐步延長至霧社，於大正十年 3 月全段完工。從此，就有由西部（大甲溪、眉溪）和由東北

東勢平岩山駐在所。鄭安晞私人收藏照片。（鄭安晞／翻攝）

部（蘭陽溪）兩路包夾泰雅族主要發祥地所在地的諸多部落。

（四）出雲山道路

　　大正十一年（1922 年）6 月，臺中州東勢郡從埋伏坪到出雲山之間，新開設了理蕃道路，全長 3 里（約 11.8 公里）[79]，其目的是為了深入北勢群的蕃地，因為從大正九年開始，Slamaw 群、北勢群與南勢群的狀況極為不穩定，搶奪槍枝、出草與燒毀警備單位，事件層出不窮，因此從出雲山警戒所到埋伏坪警戒所之間修築一條理蕃道路，目前稱為穿崠產業道路，沿路鋪上柏油或水泥，相關日治警備設施請參閱表 23。

Slamaw 隘勇線土牆遺跡。（鄭安晞／攝）

79　吳萬煌譯，《日據時期原住民行政志稿》（第四卷），頁 258 ～ 260。

出雲山三角點。（鄭安晞／攝）

表 23　出雲山道路警察監視區

所轄	配置箇所		修築（年）	廢止（年）	備註
東勢郡	第二監視區	埋伏坪警戒所	1912		1926 年改為警察官吏駐在所。
		坂中警戒所	1922	1938	1926 年改為警察官吏駐在所。
		大崠警戒所	1922		1926 年改為警察官吏駐在所。
		肥崠警戒所	1922	1930	1926 年改為警察官吏駐在所。
		橫嶺山警戒所	1922	1938	1926 年改為警察官吏駐在所。
		出雲山警戒所	1907		1926 年改為警察官吏駐在所。

資料來源：〈訓令第 32 號〉《臺中州報》（第 228 號），1922 年，頁 185～186。〈訓令第 1 號〉《臺中州報》（第 8 號），1927 年，頁 28～29。〈訓令第 28 號〉《臺中州報》（第 585 號），1930 年，頁 422。〈訓令第 20 號〉《臺中州報》（第 1085 號），1938 年，頁 206。

坂中警戒所現址。（鄭安晞／攝）

大崠警戒所後改為警察官吏駐在所現址。（鄭安晞／攝）

肥崠警戒所後改為警察官吏駐在所現址。（鄭安晞／攝）

橫嶺山警戒所後改為警察官吏駐在所現址。（鄭安晞／攝）

原為出雲山分遣所，後改為警察官吏駐在所位於山頂。（鄭安晞／攝）

附錄 Appendix

泰雅族大事紀

以《日治時期原住民行政誌稿》
（《理蕃誌稿》）為主

時間	事件
明治 29 年（1896 年）7 月 15 日	東勢角撫墾署開辦，並在大茅埔設立大茅埔出張所。
明治 29 年（1896 年）9 月 19 日	將清朝林朝棟所承管之水底寮到埔里社之間隘勇與隘丁線歸臺中縣管轄。
明治 30 年（1897 年）7 月	東勢角撫墾署轄內馬鞍龍隘寮遭白毛社人殺害，土目按照慣例，追還被害人之火槍、交出兇手之火槍及金錢表示謝罪。
明治 31 年（1898 年）6 月	廢止撫墾署，臺中縣山區原住民事務改由臺中辦務署管理。
明治 33 年（1900 年）	管理臺中縣轄內腦丁與隘丁，腦丁與隘丁需攜帶執照，腦長要負責管理腦丁與隘丁，應訂立進入山地人員之約束辦法。
明治 33 年（1900 年）	臺中縣調查山區與原住民事項。
明治 34 年（1901 年）4 月	臺灣總督府為防備山地，向陸軍省借用 20 拇臼砲 10 門與彈藥 1000 發，並將臼砲 4 門彈藥 500 發給臺中縣，安裝於臺中與苗栗辦務署轄內之山地，為使用臼砲防禦山地之嚆始。
明治 34 年（1901 年）	廢止縣之下辦務署，原屬辦務署第三課原住民事務，移給廳總務課，臺中廳管轄臺中山區。

願社平和：臺中和平地區原住民聚落

時間	事件
明治 35 年（1902 年）	討伐馬拉邦社人。
明治 35 年（1902 年）3 月 2 日	臺中廳派守備隊第二大隊以演習名義懲罰轄內稍來社、油干來完兩社。
明治 36 年（1903 年）10 月	新設南投廳阿冷山及臺中廳轄內白毛山附近隘勇線。（詳文請看內文）
明治 37 年（1904 年）12 月	苗栗廳轄內之北勢蕃等反抗政府，臺中廳東勢角支廳轄內，牛欄坑方面白毛稍來社（南勢群）人，等受苗栗轄內洗水坑大小南勢之影響，到隘勇線警備線旁與警備員發生衝突。
明治 38 年（1905 年）	臺灣總督府製造爆炸力更強之地雷埋設於新竹與臺中兩廳內。
明治 38 年（1905 年）3 月 24 日	臺中廳東勢角支廳南勢群稍來社，自前年以來放火燒毀隘寮，狙擊警察與隘勇，因此組織警部以下 250 名攻擊隊，於 3 月 14 日分三隊進入山地包圍，燒毀 13 間家屋與器具，槍殺 2 名，傷害 5 名社人，但途中遭受狙擊，導致巡查 1 人隘勇 9 名戰死，多人受傷，後來歸順。
明治 39 年（1906 年）12 月	擴張臺中廳轄內白毛社等隘勇線。（詳文請看內文）
明治 40 年（1907 年）7 月	白井侍從武官奉旨視察臺灣陸海軍及臺灣一般政務，尤其是視察隘勇線擴張狀況，22 日到臺中廳轄內東勢角，23 日到牛欄坑，24 日又到臺中。

時間	事件
明治 40 年（1907年）11 月 6 日	苗栗廳將轄內山地編入普通行政區內，包括馬拉邦、大坪林等處。
明治 41 年（1908年）1 月 29 日	准許苗栗廳轄內北勢群，武榮社除外。
明治 41 年（1908年）6 月 25 日	苗栗廳轄內北勢群武榮社與已歸順之老屋峨社請求歸順，交出火槍 6 挺，自製布料 6 匹作為謝罪。
明治 41 年（1908年）9 月 7 日	上田侍從武官奉旨到臺灣各地慰勞文武官吏，23 日到臺中，24 日至東勢角經卓蘭至用心山監督所，25 日至馬拉邦與大湖。
明治 42 年（1909年）1 月 19 日	臺中廳長向警察本署長提出為原住民開鑿水圳，獎勵農業。稍來社選中稍來坪中最廣闊，且最適合種水稻的土地 6 甲，費用以明治 41 年隘勇薪俸剩餘款支付，希望轉為定耕，以增加產量。
明治 43 年（1910年）4 月 5 日	蕃務本署針對臺北等六廳通知關於配置教化事務囑託事宜，透過僧侶教化，8 日任命為囑託，臺中廳由藤井廓幢在白毛駐在所擔任囑託，月津貼 38 圓。
明治 43 年（1910年）7 月 28 日	中止開鑿南投廳轄內 Saramao 到中央山脈鞍部間的道路。
明治 44 年（1911年）1 月 15 日	北勢群討伐（ローブゴー方面隘勇線推進）。
明治 44 年（1911年）2 月 18 日	蕃務本署長大津麟平奉命視察臺中與南投兩廳蕃地，3 月 6 日返回臺北。

願社平和：臺中和平地區原住民聚落

時間	事件
明治 44 年（1911 年）5 月 15 日	南投廳埔里支廳雇用 17 名工人修築白狗與馬列巴兩駐在所白狗 Sikayau Saramao 等社人放火襲擊舊白狗隘寮，造成多人死傷。
明治 44 年（1911 年）7 月 4 日	北勢群約 100 人分成 5 隊攻擊大湖支廳見晴分遣所隘寮，造成多人死傷，此後北勢群不再敢襲擊隘勇線。
明治 44 年（1911 年）7 月 27 日	奧村伺從武官奉令視察臺灣原住民與海陸軍勤務狀況，並前往司馬限隘勇監督所慰問傷患，前後 20 餘日。
明治 44 年（1911 年）9 月 22 日	白狗與馬列巴方面原住民情勢歸於平靜。
明治 44 年（1911 年）10 月 19 日	英國大使館武官砲兵中尉西微奧利巴從臺北出發，到新竹李崠山，臺中白毛、白冷一氣山等地視察，12 月 6 日返北。
明治 45 年（1912 年）4 月 1 日	臺灣總督府動用 4,095 圓在各廳轄內增設原住民療養所，臺中設在白毛駐在所與八仙山監督所達拉斯監督所。
明治 45 年（1912 年）	原住民第三次觀光，臺中廳有 5 人，前往東京、神戶等地觀光。
大正元年（1912 年）	白狗馬列巴方面隘勇線推進。

時間	事件
大正 2 年（1913年）7 月 29 日	內田民政長官對新竹與臺中兩廳通知，兩廳以大安溪為界，新竹廳將歸於臺中廳管轄的原住民部落移交，久保山隘勇線與相關原住民尚未結案之案件一併移交。
大正 2 年（1913年）7 月	暫准臺中廳轄內武榮魯普毫兩社人歸順。
大正 2 年（1913年）8 月	西伺從武官奉旨來臺視察海陸軍，討伐原住民狀況與慰問佐久間總督以下官吏，並前往白狗與 Saramao 等處巡視。
大正 2 年（1913年）8 月 16 日	內田嘉吉民政長官巡視 Saramao。
大正 3 年（1914年）7 月 30 日	由廳長枝德二、蕃務課長市來半次郎及荒卷鐵之助監督，囑託高島利三郎編輯，刊行《臺中廳理蕃史》一書。
大正 4 年（1915年）6 月 28 日	花蓮港廳太魯閣支廳的太魯閣原住民與南投廳管內 Saramao 與 Shikayau 原住民以中央山脈為界，盤據東西兩邊，常常爭奪獵場，也不乏私下往來交換武器彈藥，此次衝突地點在瓦黑耳溪上游，Saramao 與 Shikayau 包圍瓦黑耳社，雙方無傷亡，衝突一直持續到 10 月底。

時間	事件
大正4年（1915年）10月20日	臺灣總督府派遣職員進入原住民地區時，應先知會警察總署署長，明治37年以民警第99號通報有案，因臺中廳轄內八仙山森林歸由營林局管轄，為推動事業需要，官員進出頻繁，特令臺中廳長，人員出入必須配戴通行證。
大正5年（1916年）2月	Wurairooma 社少女 Rarontaku 寄居在臺中廳東勢角支廳轄內 Taonaiakai 家，年約20歲，2月19日被阿冷社青年3人劫持，該少女原為大甲溪上游 Wurairooma 社 Taaranbaagan 的長女，劫持目的是為了許配給裡冷溪從事開墾工作的阿冷社 Yeushihogo，經阿冷社頭目同意並向女方提供聘禮後的搶婚習俗，兩社均無異議。
大正5年（1916年）4月18日	臺中廳東勢角支廳，北勢群原住民中5社居住在大安溪兩岸，轄區混亂，經臺中廳與新竹廳協調後，將大安溪右岸之原住民共有87戶404人，劃歸新竹廳管轄，包括 Suro、Robugo、馬那邦、盡尾社、Temokubonai 社。
大正5年（1916年）4月	臺中廳原住民20人前往臺北附近觀光。
大正5年（1916年）4月25日	南投縣霧社支廳 Saramao 亞族 kayo 社原住民因失戀而自暴自棄，4月25日殺死同社原住民一人後逃命，Saramao 駐在所搜索兇手，5月2日在部落下方，遇到準備加害被害人長子的兇手，因其正在行凶亂砍，逕予以射殺。

時間	事件
大正 5 年（1916 年）4 月 28 日	花蓮太魯閣支廳 Bokukawaran 等三社原住民至北合歡山打獵，夜宿小屋，同日下午 9 點受到 Saramao 的原住民約 30 人襲擊，有一人當場死亡，內太魯閣支廳派多久警部補率 7 名巡查及原住民 13 人前往出事地點調查，勸戒不可輕舉妄動，並要求南投廳原住民管理原住民狩獵。
大正 5 年（1916 年）5 月	大甲溪上游左岸白狗大山北麓原住民 11 戶 57 人，係臺中廳南勢亞族一支，社名為 Wurai Ruma，因在三不管地帶，經協調 5 月 6 日以本理 713 號之 2，由臺中廳管轄。
大正 5 年（1916 年）8 月	為保護營林局入山勘查臺中廳轄內大安溪流域森林，3 日起由警部補 1 人及巡查 4 人組成搜索隊擔任警戒工作，9 月 19 日完成工作。20 日於東勢腳解散。
大正 5 年（1916 年）5 月 6 日	處罰在瓦黑耳溪殺害兩名 Shikayao 社後遁逃的太魯閣瓦黑耳社兩名，原住民 Tanagaoitsu 19 日被捕，Wuintanme 藏匿於 Kubayan 附近的岩洞，一位拘禁以半年，另一位不得安寧，為此酌情各罰勞役 30 天，11 月 13 期滿，責付 Ibo 社頭目。
大正 5 年（1916 年）9 月 21 日至 10 月 26 日	臺中東勢角支廳疑部落藏匿槍械，乃招集各頭目質問，彼等回答：前幾年奉命上繳槍械時失去機會，便放置至今，別無他意，在稍來社白毛社阿冷社沒收 35 把槍械。
大正 5 年（1916 年）12 月 22 日	於臺中廳東勢角支廳轄內南勢蕃地久良栖設置甲種蕃童教育所，22 日開始授課。

　　　　　　　　　　　　　　　願社平和：臺中和平地區原住民聚落

時間	事件
大正 6 年（1917年）3 月 12 日	於臺中廳東勢角支廳轄內埋伏坪，設置療養所，12 日開始為附近蕃人診療。
大正 6 年（1917年）5 月	於臺中廳東勢角支廳轄內北勢蕃武榮社蕃人鼓勵定期耕作，決定在埋伏坪警戒所前相好荒地，設置指導水田，自 5 月 9 日起開工，至 6 月 20 日完成水田 4 分，水路 320 米，種晚季稻，收穀 6 石。
大正 6 年（1917年）1 日	於臺中東勢角支廳轄內東勢角開設蕃產交易所，自 6 月 1 日開始營業。
大正 6 年（1917年）7 月 26 日	基隆天台宗佈教師中澤慈愍為慰問蕃地人員，進入臺中廳山地 15 天。
大正 6 年（1917年）8 月 3 日至 8 日	乘臨時陸軍氣球研究會在臺灣施行耐暑飛行試驗機會，與陸軍參謀長交涉，進行飛機平地山地飛行，以恫嚇對抗之原住民，計畫飛翔於臺中山地，包括北勢地區與東勢角地區，共計 6 天，也在稍來社附近投彈 4 顆，震嚇原住民。
大正 7 年（1918年）1 月	大正 6 年 11 月前後有人挖掘出臺中廳東勢角支廳轄內 Mabiruha 社頭目四子及 Robugo 社青年的墓地，並將未葬的槍械盜走，於隔年 1 月 23 日傳喚 Kagemoro 於東勢角支廳，後坦白與 Wurai Ruma、Saramao 社人共謀竊取槍枝，後於 6 月 30 因病死亡於支廳內。

時間	事件
大正 7 年（1918 年）3 月	南投支廳為矯正風俗，通令全部原住民禁止紋身，違令者給予相當處分，然 Shikayau、Saramao，因遇到旱災患病，以為因廢除祖先遺俗而受天罰，並哀求解禁，5 月 23 日召喚違反者頭目青年等 28 名到本廳，加以訓誡，違反者繳納鍋及其他謝罪品，再依情節處 2 個月內的拘役或苦役。
大正 7 年（1918 年）4 月 19 日	臺中廳揀東上堡水底寮 198 號劉俊吉與阿冷社、白毛社秘密交換物品，被科以 25 圓罰鍰。
大正 7 年（1918 年）6 月	臺中廳為了對東勢角支廳轄內北勢群原住民指導定耕而開墾水田，3 日完成開墾 1 甲地，招募附近自願者原住民指導水田耕作。
大正 7 年（1918 年）6 月	新竹廳選擇大湖支廳轄內司令擇中平坦的地方指導水田，進行開墾，到 22 日開墾約 1 甲並完成水路，並配 1 頭牛，指導北勢群耕作。
大正 8 年（1919 年）2 月 21 日	因大正 6 年來的旱災，農作物歉收，造成缺糧，因此原住民懷疑是否因廢除紋面而遭天譴。因此霧社支廳長前往山中召集 Saramao Shikayau 的部族，對於紋面者，因謝罪而交出鍋、獸骨，對違反者各處 5 天苦役。
大正 8 年（1919 年）6 月 1 日	新竹廳於大湖支廳內之司令設置甲種原住民蕃童教育所，正式對馬那邦 3 社原住民兒童上課。
大正 8 年（1919 年）6 月 10 日	南投廳於霧社支廳轄內 Shikayau 設置原住民療養所，正式對附近原住民看診。

願社平和：臺中和平地區原住民聚落

時間	事件
大正 8 年（1919 年）7 月 23 日	臺中東勢角支廳轄內原住民武榮社頭目 Yuraokage 的三子，趁同社長女 18 歲的 Yuyunabosu 有事外出，於途中強奪帶回自宅，造成紛爭，後由頭目交納蕃刀、珠衫、蕃衣等價值約 83 圓的聘禮後，正式結婚。
大正 8 年（1919 年）10 月 12 日	新竹廳大湖支廳轄內北坑溪製腦會社，有護衛搬運物資的工人、巡查部長 1 名、巡查 4 名、腦寮警戒員 8 名，在受付請願巡查守候室前 1 公里處遭襲擊，該處位於二本松警戒所 16 公里，導致腦工不得停留該處，全數要下山，13 日撤回到二本松警戒所。
大正 8 年（1919 年）10 月 20 日	新竹大湖支廳天狗鼻分遣所 2 名隘勇，往二本松途中，在分遣所約 400 米處遭警備線外採伐場 5 名原住民襲擊，隘勇陳南胸部遭貫穿，後遭馘首，接鄰的見晴分遣所西岡巡查，帶領 2 名隘勇馳援，襲擊者疑為 Makeraka 社人。
大正 8 年（1919 年）10 月 29 日	臺中廳東勢角支廳 Chinmui，原在大安溪左岸開墾，漸漸移往右岸，原社幾乎撤空，經兩廳協調後將 26 戶 93 人移交給新竹廳管轄。

時間	事件
大正 8 年（1919 年）12 月	居住在桃園廳海山堡大料崁街新街 56 號腦工李阿桂，曾擔任隘勇，也兩次娶蕃婦，與桃園廳竹北二堡三墩庄土名下三墩 67 號腦工劉仁富，兩位精通泰雅語，且有泰雅名字，大正 8 年 5 月前後到新竹廳大湖支廳轄內之北坑溪採樟期間，慫恿原住民 Setopaishiyu 抗日，說日本政府會殺死全部原住民，造成霞喀羅群動盪，後被送往臺東廳岩灣浮浪者收容所。
大正 9 年（1920 年）1 月	臺中東勢角支廳東卯山第四與第五號腦寮大遇襲，白冷警戒所栗山警部補，久良栖警戒所的中村巡查部長率領巡查 1 名，原住民 10 名，前往馳援，腦工張阿善、羅阿錄、劉阿番、張桂先、羅阿牛等均受槍傷，腦寮被毀財產被搶走，疑為 Wurai Ruma 社的人所為。
大正 9 年（1920 年）1 月 23 日	臺中廳東勢角支廳轄內埋伏坪療養所改為公醫診療所。
大正 9 年（1920 年）1 月 31 日	臺中東勢角支廳轄內 Mabiharu 社因族人多數罹患流行性感冒，日方派遣有醫療經驗的椎名與原田兩巡查，以及雪山坑駐在所醫務主任清水巡查前往 Yawuitatsukun 為頭目的部落，1 名 Yutebuta 的青年向椎名巡查開槍，兩位巡查逃到對岸的象鼻警戒所，Yutebuta 再到駐在所狙擊臥病之佐藤巡查部長，起因為原住民認為流行性感冒是外面傳進來的，因此要去除外來之人。

願社平和：臺中和平地區原住民聚落

時間	事件
大正9年（1920年）2月8日	臺灣製腦株式會社巡查員久保山一郎以及另外兩名腦丁，巡查新竹廳大湖支廳轄內樟腦產地，在二本松警戒所 Mabatoan 分遣所線外東南約 8 公里的盡尾山腦路上，遭受狙擊，巡視補馮阿金、腦工周應光當場斃命，久保山以手槍對抗，不敵，趕往大湖分遣所，二本松警戒所稻垣警部補與 15 名警察前往馳援，但已不見人影，兩人均遭馘首，手槍與村田式槍、子彈遭掠走。
大正9年（1920年）4月	臺中東勢角支廳 Mabihru 駐在所，距離隘勇線 5.8 公里處，雪山坑駐在所孤立在線外 1 公里處，從 1 月以來，民情動盪，4 月在其周遭架設通電鐵絲網，做為副防禦。
大正9年（1920年）4月間	臺北與阿緱兩廳 160 多名警力支援，以奇襲隊搗毀雪山坑 Robugo 社。由於多次討伐，幾個月後發生駐在所襲擊事件，7 月 6 日與 7 日兩天，襲擊白冷、稍來兩駐在所以及東卯溪腦寮，殺害職員家屬與腦工 15 名，7 月再請阿緱廳其他地區派警部與部下 194 名前來支援，在尾條溪以南 24 公里之間，架設通電鐵絲網，放出奇襲隊，9 月漸趨平靜，同月支援隊回歸。南勢群中有 80 名繳交槍械並要求歸順，乃收容於久良栖，為此用飛機投彈，與陸軍交涉，並請求軍隊行軍，屯住東勢角，進行威嚇式行軍，乃將北勢群中有力量等 224 名原住民，收容於埋伏坪。

時間	事件
大正 9 年（1920年）4 月 11 日	臺中東勢角支廳內橫流駐在所，隘勇執勤時，遭 4 名素不相識之原住民要求交換物品，隘勇葉全允不答應，正要入內取物時，對方搶奪槍械，並與之格鬥，被對方以刀刺殺，村田式槍 3 枝與子彈 90 發被奪。另一隘勇賴老謙極力抵抗並遁走，兇手為武榮社頭目 Kawanaoke 部落之人。
大正 9 年（1920年）4 月 16 日	臺中東勢角支廳轄內埋伏坪警戒所的泉田巡查在警戒所東面約 400 公尺的大安溪岸補修鐵絲網時，遭線外狙擊，巡查補腹部貫穿，當場死亡。
大正 9 年（1920年）4 月 18 日	臺中東勢角支廳轄內中坑坪駐在所與中料溪駐在所中間地方傳來了槍聲，在有桂林駐在所執勤的森山警部捕接到消息後，率領巡查與部下 8 名，東勢角支廳則派巡查 7 名，在土名梛榔坑，距楓樹崠分遣所線內 1 公里，發現看牧人劉鳳英、劉來娘、郭塗龍 3 人有槍傷且已馘首，兇手逃往武榮社方向。
大正 9 年（1920年）4 月 20 日	新竹廳大湖支廳轄內大湖庄 104 號山地廖開枝與臺中廳牛罵頭庄西勢 286 號蔡、扁兩人從事大湖支廳物資運輸，從司馬限駐在所往大湖途中，在目黑坂遭攻擊，被馘首，聽到槍聲的 Temokubonai 社人通知駐在所，疑為 Mabiharu 社人。
大正 9 年（1920年）4 月 29 日	臺中東勢角支廳轄內觀音山分遣所隘勇徐郎出差往埋伏坪警戒所，返回並加入坂入警部一行，分遣所前 1 公里突遭線外射擊，當場死亡，兇手逃逸。

願社平和：臺中和平地區原住民聚落

時間	事件
大正 9 年（1920年）5 月 20 日	臺中廳東勢角支廳轄內牛欄坑駐在所巡查 1 名、隘勇 6 名、搬運夫 10 名在線外從事採集，往尾條溪時，遭受攻擊，隘勇楊阿淮、楊昌明、古阿桂被馘首，吳穀立死亡，搬運夫林金、周盾負槍傷與刀傷，槍 3 枝被奪走，疑為武榮社頭目 Kagenaoke 一族之人所為。
大正 9 年（1920年）6 月 12 日	臺中、新竹兩廳的北勢蕃與北埔支廳的霞喀羅，由於去年感冒猖獗，迷信為與外人交往，觸怒祖先，每每出草。臺中廳長建議以游擊隊突襲部落，迫其屈服，並對立功者論功行賞。
大正 9 年（1920年）6 月 13 日	新竹廳大湖支廳轄內 Robugo 分遣所濱崎巡查 6 月 13 日率領 3 位隘勇前往象鼻警戒所，在天祐與梅園分遣所中間遭受狙擊，隘勇古阿貴負傷，加害者為 Temokubonai 社與 Mabiharu 兇徒一夥。
大正 9 年（1920年）7 月 10 日	新竹大湖支廳泉分遣所 2 名隘勇，在分遣所北方 200 米執行勤務時遭射擊，隘勇陳榮和貫穿槍傷，同行隘勇林雲石奮戰，但寡不敵眾，撤走，陳榮和被馘首，村田式槍枝 1 把子彈 30 發被奪走，疑為 Temokubonai 社人。
大正 9 年（1920年）7 月 28 日	更改臺灣地方官制，變成五州二廳，廢除廳、支廳。

時間	事件
大正9年（1920年）8月20日	新竹大湖支廳見晴分遣所西岡巡查為調查交通，與隘勇挑夫3人前往二本松警戒所，歸途在距分遣所5町處被原住民狙擊，官用挑夫羅阿在左胸被貫穿，天狗鼻分遣所荒木警部補聞訊派17人等追擊，追至大安溪上失去原住民蹤影。
大正9年（1920年）8月25日	新竹大湖支廳天佑分遣所3名巡查為護送挑夫運送物資前往象鼻警戒所，途經白水分遣所北方2町，受到防線內伐木林邊數名原住民襲擊，巡查沼田庄太郎、中村正通當場死亡，巡查寺師受傷，白水、天佑兩分遣所與象鼻警戒所、司馬限駐在所之警備員趕往出事地點馳援，無功而返。
大正9年（1920年）9月13日	擔任臺灣製腦株式會社搬運工3人在通過新竹州大湖郡大湖溪分遣所西方8町處，遭原住民襲擊，彭達金背部貫穿，趕往大湖溪分遣所報告，二本松警戒所稻垣警部據報後馳援，暴徒已經不知去向，傷者在距離現場545公尺往洗水山的路上斃命。
大正9年（1920年）9月18日	Saramao原住民騷擾事件。（詳文看正文）
大正9年（1920年）9月26日	臺中裡冷溪第33號腦寮黃興，急奔到久良栖駐在所，說有多名原住民襲擊腦寮，多處腦寮被焚毀，腦丁游阿木、楊娘送、楊壽清3人遇害被馘首，遠藤警部率領巡查7人，前往調查。

時間	事件
大正9年（1920年）	臺中州 Saramao 地區原住民，為了加強警備，計畫建造道路，預計從 Saramao 鞍部通往長阪分遣所間2里長，Saramao 及押岡2分遣所間2里18町，另在太久保押岡坂3處警戒所裝置自來水，又在 Saramao、Shikayau、Kaiyai 架設3座吊橋，總工程費 10,800 多元, 9月動工，當月完成。
大正9年（1920年）10月3日	遠藤警部殉職事件。（詳文看正文）
大正9年（1920年）10月10日	新竹州大湖郡轄內二本松警戒所巡查1人、警手4人，為清理交通前往天狗鼻分遣所，在見晴分遣所前南方2町處遇襲，警手魏王、彭阿唅中彈倒下，不久梁萬全及曾木盛亦中彈，只剩巡查陳阿應孤軍奮戰，後見晴分遣所西岡巡查4人接應，二本松警戒所稻垣警部補7人救援，兇手可能為 Yukaikiku 家族。
大正9年（1920年）10月9日	鑑於新竹、臺中原住民情勢，警備機關增設警戒據點，鐵絲網改為複線鐵絲網。
大正9年（1920年）10月14日	臺中東勢郡打狗龍崗哨臨時警手廖阿龍，接到鐵絲網停電後，到崗哨中心點北方2里處拔除網下雜草，因漏電，被電擊，急救無效死亡。
大正9年（1920年）10月24日	新竹州大湖郡 Kimui 山第二分遣所巡查阿部福藏，與警手2人為清理交通，前往二本松警戒所，歸途在分遣所南方一町處遭到原住民襲擊，但阿部巡查腰部被射穿，櫻坂分遣所與二本松警戒所，前往馳援，疑為 Robun 原住民。

時間	事件
大正 9 年（1920年）11 月	計畫建築 Biyana 道路，從臺北州羅東郡 Shisen 出發，越過 Biyana 鞍部，抵達臺中州能高郡，總長 24 里，11 月動工。
大正 9 年（1920年）11 月 21 日	新竹州大湖郡最高地分遣所警手 3 人為取水前往分遣所西南方 5 町之水源處遇襲，警手劉萬春、劉阿桶中槍死亡，林炎木逃離求援，高巡查部長率領 4 位馳援，但亡者已被馘首，槍枝 1 把子彈 30 發被奪走。
大正 9 年（1920年）11 月 29 日	二本松防線為防止 Yunoeobin 家族 20 多人逃出防線，埋伏據點警戒，巡查部長中上川路當日遇到逃亡之原住民，交戰中巡查成島賢司郎右腳被射穿，對方亦有損失。
大正 10 年（1921年）1 月 5 日	武榮社原住民 2 戶 13 人繳交槍一把，聲請歸順，後安置於埋伏坪。
大正 10 年（1921年）2 月 8 日	白毛阿冷社原住民托基爾塞茨曾引領烏來魯馬原住民攻擊裡冷腦寮，又趁機逃走，被擊斃。
大正 10 年（1921年）3 月 8 日	東卯溪稍來社等 16 人，繳出 2 把槍，歸順後核准安置於埋伏坪。
大正 10 年（1921年）3 月 17 日	官方意圖招降久良栖阿冷社頭目薛茨哈云，但沒有結果。
大正 10 年（1921年）3 月 29 日	武榮社原住民歸順，安置在埋伏坪。

願社平和：臺中和平地區原住民聚落

時間	事件
大正 10 年（1921年）4 月 10 日	武榮社原住民到埋伏坪繳交槍枝 2 把。
大正 10 年（1921年）6 月 14 日	烏來魯馬原住民繳交槍枝 3 把。
大正 10 年（1921年）5 月 3 日	武榮社頭目之三子來雪山坑警戒所申請歸順。
大正 10 年（1921年）5 月 16 日	東卯溪稍來社原住民繳交槍枝 1 把。
大正 10 年（1921年）6 月 9 日	武榮社原住民繳交槍枝 1 把。
大正 10 年（1921年）6 月 15 日	騷擾事件主頭目卡吉那歐凱，率青年 7 年到雪山坑警戒所，遂押送至埋伏坪，先後共繳交 18 枝槍。
大正 10 年（1921年）8 月	曾於大正 9 年襲擊白冷駐在所之東卯溪稍來社頭目帶 3 名原住民到埋伏坪，並繳交 3 枝槍與其他物品。
大正 10 年（1921年）8 月 20 日	於大正 9 年騷擾事件中與稍來社頭目被視為主謀之羅布溝有實力人物皮哈歐帕央與其家人 14 人來到埋伏坪，被安置當地。
大正 10 年（1921年）9 月 4 日	羅布溝社原住民 4 人到埋伏坪繳槍枝 5 把。

時間	事件
大正 10 年（1921 年）9 月 6 日	羅布溝社原住民 2 人到埋伏坪，請求歸順。同日，武榮社原住民 2 人繳槍 2 把賠罪。
大正 10 年（1921 年）9 月 8 日	羅布溝社婦女 2 人到埋伏坪，乃將其安置。
大正 10 年（1921 年）12 月 17 日至 28 日期間	於大正 9 年東勢郡騷動期間，共有 33 人被馘首，原住民將其首級攜帶往雪山坑溪上游藏深處，武榮社頭目繳出 31 首級，尚少 2 首級未交。
大正 11 年（1922 年）1 月 3 日	新竹州大湖郡馬比魯哈社尤奎布達等 3 人前往司令駐在所交出臺灣人首級 3 具，11 日另一人又交出首級 4 具。
大正 11 年（1922 年）1 月 11 日	特莫庫博奈社交出 2 把槍。
大正 11 月（1922 年）1 月 11 日	新竹州斯盧社原住民到司令駐在所繳交 1 把槍。
大正 11 年（1922 年）1 月 12 至 16 日	馬那邦社原住民共繳出 4 把槍給司令駐在所。
大正 11 年（1922 年）1 月 14 至 18 日	羅布溝社原住民繳交 2 把槍給司令駐在所。
大正 11 年（1922 年）1 月 22 日	大正 9 年臺中州東勢郡被割下之首級於大正 10 年 12 月底都已交出，剩 2 具尚未交出，東卯溪稍來社的原住民交出其中 1 具。

願社平和：臺中和平地區原住民聚落

時間	事件
大正 11 年（1922 年）1 月 25 日	武榮社原住民繳交 1 把槍。
大正 11 年（1922 年）1 月 26 日	東卯溪稍來社原住民索回大正 9 年 7 月 6 日襲擊白冷駐在所所奪 18 年式村田步槍 1 把。
大正 11 年（1922 年）2 月 26 日	臺中州東勢郡烏來魯馬社原住民繳交槍枝 1 把。
大正 11 年（1922 年）3 月 5 日	臺中州東勢郡烏來魯馬社原住民繳交 4 把槍枝給久良栖駐在所。
大正 11 年（1922 年）4 月 15 日至 19 日	臺灣步兵第一聯隊軍官 13 人 士兵 150 人行軍皮亞南山路。
大正 11 年（1922 年）4 月 26 日	臺中州東勢郡武榮社等原住民繳交槍枝 2 把。
大正 11 年（1922 年）春起	臺中州對北勢原住民下達禁止紋面，違者嚴懲。
大正 11 年（1922 年）4 月 27 日	武榮社頭目卡吉那歐凱於大正 12 年 12 月 9 日被羈押於東勢郡警察課，因病死亡。
大正 11 年（1922 年）6 月 13 日	馬比魯哈社原住民繳交槍枝 1 把。
大正 11 年（1922 年）6 月 20 日	臺中州在東勢郡埋伏坪、白毛的蕃童教育所舉辦夜間補習班。

時間	事件
大正 11 年（1922年）6 月底	臺中與新竹兩州協調以到達雪山坑之稜線為兩州州界。
大正 12 年（1923年）1 月 27 日	臺中八仙山駐在所氣溫驟降，附近一帶高山降雪。
大正 12 年（1923年）2 月 20 日	臺中州東勢郡轄內鐵條網停止通電。
大正 12 年（1923年）5 月 18 日	臺中州白毛教育所組織校友會。
大正 12 年（1923年）6 月 14 日	臺中州東勢郡烏來魯馬遷入久良栖，為方便管理，併入久良栖阿冷社。
大正 12 年（1923年）8 月 11 日	羅布溝（Robugo）原住民奪槍搶彈。
大正 12 年（1923年）8 月 21 日	東勢郡久良栖阿冷社召開家長會與日語夜間補習班。
大正 12 年（1923年）11 月 22 日	沈梅社原住民繳槍 1 把。
大正 12 年（1923年）11 月 30 日	臺中州能高郡松嶺等地氣溫下降，下雪。
大正 12 年（1923年）12 月 25 日	臺中州東勢郡蘇魯社原住民逐漸遷往新竹州大湖郡轄內蘇魯社居住，舊址僅有 1 戶，現歸羅布溝社頭目支配，併入羅布溝社。

願社平和：臺中和平地區原住民聚落

時間	事件
大正 13 年（1924 年）2 月	臺中州羅布溝社等流行感冒，患者有 75 人。
大正 13 年（1924 年）4 月 10 日	新竹州馬比魯哈原住民 15 戶 71 人，大正 9 年逃出警備線外，後住到象鼻附近。
大正 13 年（1924 年）7 月 11 日	蘇魯社有實力者交出圈套槍 1 把。
大正 13 年（1924 年）11 月 1 日	有武榮社稍來社原住民 20 戶 98 人，逃出警備線外。
大正 14 年（1925 年）1 月 7 日	薩拉瑪俄原住民到平岩警戒所，要求與川西警部補會面，商討一部分原住民歸順與舉行和解儀式，有 16 戶 86 人。
大正 14 年（1925 年）3 月 21 日	薩拉瑪俄原住民為紀念歸順，有青年 30 人剪髮。
大正 14 年（1925 年）3 月	臺中州東勢郡南勢與北勢群原住民流行痲疹，由醫務人員與警察盡力防治。4 月中慢慢平息。
大正 14 年（1925 年）6 月 29 日起 3 日	駐臺中第三大隊在東勢新社方面進行戰鬥演習，白毛社、久良栖、埋伏坪、羅布溝各教育所學童 40 名前往旅行參觀。
大正 14 年（1925 年）8 月 20 日	希佳堯原住民剪髮。
大正 15 年（1926 年）	有臺中州轄區內原住民逃出警備線外，有武榮社、稍來社等，後稱為雪山坑武榮社。

參考書目 Bibliograph

參考書目

訪談資料

1. 2009 年 1 月 17 日，在臺中市和平區博愛里上谷關，訪問林講文其弟林敏先生、其子林耀武先生。

2. 2009 年 2 月 14 日，在臺中市和平區平等里松茂部落，訪問蔡文瑞子蔡長管先生。

3. 2009 年 2 月 14 日，在臺中市和平區平等里環山部落，訪問黃漢貴孫黃國盛、梁一正先生。

4. 2009 年 2 月 18 日，在臺中市和平區南勢里南勢部落，訪問朱清江女兒朱秀鳳女士、女婿陳和貴先生。

5. 2009 年 2 月 22 日，在臺中市和平區自由里雙崎部落，訪問張銀文妻 Tabas Ubau 女士。

6. 2009 年 2 月 22 日，在臺中市和平區達觀里竹林部落，訪問 Bonay Taubas 孫子賴茂清先生。

7. 2009 年 2 月 22 日，在臺中市和平區達觀里雪山坑部落，訪問陳榮爵先生。

8. 2009 年 2 月 22 日，在臺中市和平區達觀里雪山坑部落，訪問陳榮爵先生。

9. 2012 年 10 月 21 日，在臺中市和平區裡冷部落，訪問陳阿生先生。

10. 2012 年 10 月 22 日，在臺中市和平區南勢里南勢部落，訪問古樹枝先生。

網站資料

- http://web.chinganes.mlc.edu.tw/tayalbenz.htm。

- http://www.tccc.gov.tw/member.php?action=view&nid=263。

- http://www.tccc.gov.tw/member.php?action=view&nid=98。

- 交通部公路總局網頁，〈中橫開通 50 周年公路總局建設紀要〉：http://www.thb.gov.tw/TM/Menus/Menu08/ccih/New990507.aspx。

書籍資料：

1. 林敏，《大甲溪流域泰雅爾變遷傳奇》，2014 年出版。

2. 北野民夫編，《臺灣二》（現代史資料 22），東京：株式會社みすず書房，1986 年。

3. 林世珍，《臺中縣志》、〈人物志〉，臺中：臺中縣政府，1989 年，頁 319。

4. 臺中廳役所，《臺中廳報》（第 687 號），明治 40 年 8 月 31 日，頁 124。

5. 臺中廳役所，《臺中廳報》（第 948 號），明治 42 年 7 月 15 日，頁 118。

6. 田原委人子，〈隘勇線小誌〉，《蕃界》（三），臺北：

生蕃研究會，1913 年，頁 144 ～ 148。

7. 吳萬煌，《日據時期原住民行政志稿》（第四卷），南投：臺灣省文獻委員會：1999 年，頁 22。

8. 吳萬煌、古瑞雲譯，《日據時期原住民行政志稿》（第三卷），南投：臺灣省文獻委員會：1998 年，頁 553 ～ 570。

9. 宋建和譯，《日據時期原住民行政志稿》（第二卷下卷），南投：臺灣省文獻委員會：1999 年。

10. 林聖容，《從番界政策看臺中東勢的拓墾與族群互動》，臺北：國立臺灣大學歷史學系，2008 年，碩士論文，未刊行。

11. 南投廳郡役所，《南投廳行政事務管內概況報告書（全）》，南投：南投廳郡役所，1918 年。

12. 施添福總編纂，《臺灣地名辭書》（卷十二 臺中縣）（一），南投：臺灣文獻館，2006 年。

13. 馬淵東一、楊南郡譯，《臺灣原住民移動與分布》，新北：原住民族委員會，2014 年。

14. 陳金田譯，《日據時期原住民行政志稿》（第一卷），頁 24。

15. 森丑之助，《台灣蕃族志》，臺北，南天書局，1996 年，復刻版。

16. 臺中縣文化中心，《中縣文獻》（三），臺中：臺中縣文

化中心，1995 年。

17. 臺中縣議會，《臺中縣議會回顧專輯》，臺中：臺中縣議會，
    1994 年。

18. 臺中縣議會，「第五屆第 03 次定期大會」，〈三、專案小
    組調查情形報告〉，1961 年。

19. 臺中廳蕃務課，《臺中廳理蕃志》，臺中：臺中廳蕃務課，
    1914 年。

20. 臺灣省公路局編，《東西橫貫公路工程專輯》，臺北：臺
    灣省公路局，1960 年。

21. 臺灣省文獻委員會，《臺中縣鄉土史料》，南投：臺灣省
    文獻委員會，1994 年。

22. 臺灣總督府，〈森林調查復命書〉，《臺灣總督府公文類
    纂》，第 326 冊，14 號，1898 年。

23. 臺灣總督府，〈隘勇配置ニ關スル件〉《臺灣總督府公文
    類纂》，第 537 冊，13 號，永久追加，1900 年 2 月 20 日。

24. 臺灣總督府，〈隘勇監督ニ関スル件・臺中縣報告〉，《臺
    灣總督府公文類纂》，第 94 冊，第 9 號，1896 年 12 月 17 日。

25. 臺灣總督府民政部蕃務本署，《臺灣蕃社戶口一覽》，臺北：
    臺灣總督府民政部蕃務本署，1911 年。

26. 臺灣總督府理蕃課，《高砂族調查書》，臺北：臺灣總督
    府理蕃課，1938 年。

27. 蔡蕙玉編，《中縣口述歷史》（四），臺中：臺中縣文化中心，1997 年。

報紙資料

1. 臺灣日日新報社，〈八仙山道路開鑿〉《臺灣日日新報》（漢文版），1914 年 12 月 7 日 3 版。

2. 臺灣日日新報社，〈大雪山の探險 大霸尖山も同時に〉，《臺灣日日新報》，1915 年 6 月 3 日 2 版。

3. 臺灣日日新報社，〈大雪山探險 步々成功〉，《臺灣日日新報》（漢文版），1915 年 6 月 14 日 3 版。

4. 臺灣日日新報社，〈大雪山探險 限元支廳長談〉，《臺灣日日新報》，1915 年 7 月 5 日 2 版。

5. 臺灣日日新報社，〈大雪山探險談〉，《臺灣日日新報》（漢文版），1916 年 9 月 23 日 5 版。

6. 臺灣日日新報社，〈大霸尖山探險〉，《臺灣日日新報》，1915 年 6 月 3 日 2 版。

7. 臺灣日日新報社，〈中部推進隘勇線功程〉《臺灣日日新報》，1903 年 10 月 23 日 2 版。

8. 臺灣日日新報社，〈白狗大山探險〉，《臺灣日日新報》（漢文版），1916 年 7 月 3 日 3 版。

9. 臺灣日日新報社，〈白狗山探險 一萬八百尺 絕巔を極む〉，

《臺灣日日新報》，1916 年 6 月 16 日 7 版。

10. 臺灣日日新報社，〈白狗方面隘勇線前進開始〉，《臺灣日日新報》，1912 年 4 月 27 日 2 版。

11. 臺灣日日新報社，〈東卯山線完成〉，《臺灣日日新報》（漢文版），1911 年 8 月 20 日 1 版。

12. 臺灣日日新報社，〈東勢角隘線竣成〉，《臺灣日日新報》（漢文版），1907 年 1 月 20 日 2 版。

13. 臺灣日日新報社，〈東勢角管內新隘線〉，《臺灣日日新報》（漢文版），1906 年 12 月 22 日 2 版。

14. 臺灣日日新報社，〈紀隘勇線〉，《臺灣日日新報》（漢文版），1903 年 4 月 29 日 5 版。

15. 臺灣日日新報社，〈討伐南勢番後報〉，《臺灣日日新報》（漢文版），1905 年 3 月 30 日 4 版。

16. 臺灣日日新報社，〈探險阿冷番社〉，《臺灣日日新報》（漢文版），1904 年 7 月 9 日 3 版。

17. 臺灣日日新報社，〈探險蕃界溫泉〉，《臺灣日日新報》（漢文版），1907 年 8 月 28 日 3 版。

18. 臺灣日日新報社，〈推廣隘線完成〉，《臺灣日日新報》，1911 年 10 月 26 日 2 版。

19. 臺灣日日新報社，〈就臺中推隘言〉，《臺灣日日新報》（漢文版），1911 年 8 月 13 日 2 版。

20. 臺灣日日新報社，〈臺中の官設隘勇〉，《臺灣日日新報》，1902 年 3 月 13 日 2 版。

21. 臺灣日日新報社，〈臺中の官設隘勇〉，《臺灣日日新報》，1902 年 3 月 6 日 4 版。

22. 臺灣日日新報社，〈臺中推廣隘線〉，《臺灣日日新報》（漢文版），1911 年 8 月 11 日 2 版。

23. 臺灣日日新報社，〈臺中理蕃成功 隘勇線の撤廢〉《臺灣日日新報》，1917 年 6 月 17 日 2 版。

24. 臺灣日日新報社，〈臺中搜索隊近情〉，《臺灣日日新報》，1911 年 2 月 26 日 3 版。

25. 臺灣日日新報社，〈臺中隘線前進〉，《臺灣日日新報》，1911 年 10 月 6 日 2 版。

26. 臺灣日日新報社，〈臺中蕃地道路開鑿 殆んど完成〉《臺灣日日新報》，1923 年 4 月 6 日 7 版。

27. 臺灣日日新報社，〈臺中蕃務增援〉，《臺灣日日新報》（漢文版），1912 年 3 月 4 日 3 版。

28. 臺灣日日新報社，〈調查宜蘭路程〉，《臺灣日日新報》（漢文版），1918 年 1 月 20 日 5 版。

29. 臺灣日日新報社，〈蕃山探險之進境〉，《臺灣日日新報》（漢文版），1915 年 7 月 4 日 6 版。

30. 臺灣日日新報社，〈蕃山探險之進境〉，《臺灣日日新報》

（漢文版），1915 年 7 月 4 日 6 版。

31. 臺灣日日新報社，〈雞頭蕃社道路開鑿〉，《臺灣日日新報》（漢文版），1910 年 4 月 20 日 2 版。

32. 臺灣日日新報社社，〈隘勇任命〉，《臺灣日日新報》（漢文版），1903 年 4 月 29 日 4 版。

33. 聯合報社，〈15 日起 搶修中橫谷關德基段 預計三個月完工 僅供工程車輛行駛〉，《聯合報》，臺北：聯合報，2001 年 4 月 3 日 18 版。

34. 聯合報社，〈中橫 谷關德基段 通車沒把握 耶誕節可搶通 暫不開放一般通行〉，《聯合報》，臺北：聯合報，1999 年 11 月 22 日 6 版。

35. 聯合報社，〈中橫，該存該廢？ 搶修花了 25 億 餘震一來 邊坡又毀 立委官員會勘 建議速建替代道路〉，《聯合報》，臺北：聯合報，2000 年 5 月 25 日 8 版。

36. 聯合報社，〈中橫上谷關至德基段 確定緩建〉，《聯合報》，臺北：聯合報，2004 年 8 月 6 日 A1 版。

37. 聯合報社，〈中橫坍方搶修期　97 年通車 公聽會反映谷關至梨山居民心聲 責成公路局規劃〉，《聯合報》，臺北：聯合報，2000 年 11 月 17 日 20 版。

38. 聯合報社，〈中橫重建 25 日起交管 上谷關至德基段 早晚開放讓居民及公務車輛通行〉，《聯合報》，臺北：聯合報，

2003 年 3 月 19 日 18 版。

39. 聯合報社，〈中橫該不該封山？ 臺中縣長廖永來提出 交通部二十六日開會討論〉，《聯合報》，臺北：聯合報，2000 年 5 月 23 日 19 版。

40. 聯合報社，〈中橫暫停搶修 颱風季後再說 公聽會上 廖永來建議封山 長遠修復問題 半年內提報告〉，《聯合報》，臺北：聯合報，2000 年 5 月 27 日 6 版。

41. 聯合報社，〈方便投票 中橫谷關至德基段開放暫通車〉《聯合報》，臺北：聯合報，2002 年 6 月 9 日 18 版。

42. 聯合報社，〈走趟中橫殘破路 目睹土石砸傷人 谷關德基段是集集大震中受損最重、唯一尚未搶通的公路 領路的工務段長血濺半途緊急送醫〉，《聯合報》，臺北：聯合報，1999 年 12 月 5 日 6 版。

43. 聯合報社，〈電廠浩劫 德基、青山不棄廠 天輪一個月復電 臺電董事長等徒步勘災 電廠廠長說「只能以慘字形容」河床若不加強清除汙泥 將仍處於危機當中〉，《聯合報》，臺北：聯合報，2004 年 7 月 6 日 A4 版。

44. 聯合報社，〈橫貫路谷關梨山段 昨上午正式通車 每日往返四次票價十四元 蜿蜒崇山峻嶺間風光壯麗〉《聯合報》，臺北：聯合報，1958 年 11 月 16 日 3 版。

後記

　　幾個月前，筆者臨危受命，在臺中市文化局的委託下，將以前曾經寫過的泰雅族聚落歷史、重要歷史人物與空間變化的歷史舊稿，最後再加上泰雅族的大事記，除了重新改編、潤刪與訂正舊稿外，並補述相關歷史，重新整理成冊，其中抓緊時間也進行了幾次的田野調查，但最後礙於撰寫時間匆忙，許多值得再去追尋的歷史紀錄或遺址，暫時無法處理，對於讀者深感抱歉，寄望未來有機會，能持續進行相關研究。

　　筆者也透過此書《願社平和：和平區原住民聚落》的整理，重新發現臺中的泰雅族原住民歷史，更希望閱讀大眾，也可拿著此書按圖索驥找尋相關泰雅族歷史遺址，俾能豐富大臺中的歷史與文化！

《願社平和：臺中和平地區原住民聚落》

作　　　者	鄭安晞
發　行　人	林佳龍
主　　　編	王志誠（路寒袖）
編 輯 委 員	施純福・黃名亨・楊懿珊・林敏棋・陳素秋・林承謨
執 行 編 輯	郭恬氳・陳兆華・錢麗芳・范秀情・蔡珮芸・洪國恩
	林俞君・張甯涵・張景森

出 版 單 位	臺中市政府文化局
地　　　址	臺中市西屯區臺灣大道三段 99 號惠中樓 8 樓
網　　　址	http://www.culture.taichung.gov.tw
電　　　話	04-2228-9111
展　售　處	五南書局／04-2226-0330／臺中市中區中山路 6 號
	國家書店松江門市／02-2518-0207／臺北市中山區松江路 209 號 1 樓

編 輯 製 作	遠景出版事業有限公司
負　責　人	葉麗晴
主　　　編	賴雯琪
執 行 編 輯	吳建衛
封 面 插 畫	鄭硯允
美 術 設 計	高仕宇
內 文 排 版	楊曜聰

地　　　址	新北市板橋區松柏街 65 號 5 樓
電　　　話	02-2254-2899
傳　　　真	02-2254-2136
劃 撥 戶 名	晴光文化出版有限公司
劃 撥 帳 號	19929057
總 經 銷	紅螞蟻圖書有限公司

初　　　版	中華民國 107 年 12 月
定　　　價	新臺幣 300 元
G　P　N	1010702360
I　S　B　N	978-986-05-7872-0

國家圖書館出版品預行編目資料

願社平和：臺中和平地區原住民聚落／鄭安晞　著－初版－
　　臺中市：中市文化局，
　　　民 107.12　面；　公分 . －（臺中學 . 2018）
ISBN 978-986-05-7872-0（平裝）

733.9/115　　　　　　　　　　　　107021666